L'ART DE BOUTURER
et de
multiplier les plantes horticoles

Ad. VAN DEN HEEDE

L'ART DE BOUTURER

et de

MULTIPLIER LES PLANTES HORTICOLES

8e ÉDITION
entièrement refondue par

Marc LECOURT
Ingénieur D.P.E. (Horticulture)

Préface de
Pierre CHOUARD
Professeur à la Sorbonne

Photographies hors texte de l'auteur et Émile Navarre

Réimpression 1991

LA MAISON RUSTIQUE

I.S.B.N. 2 077 0031 4

SOMMAIRE

PRÉFACE

Après de longues années d'attente, je salue avec joie l'apparition de l' « *ART DE BOUTURER* » *sous la forme nouvelle que lui a donnée* M. LECOURT.

En effet, quand j'avais rédigé la nouvelle édition de l'ART DE BOUTURER de VAN DEN HEEDE, *avec l'accord de l'Auteur alors vivant, la physiologie de la genèse et de la croissance des racines commençait à se constituer, les nouvelles substances phytohormonales ou similihormonales aidant à la rhizogénèse commençaient à être employées ; j'avais donc tenté d'introduire ces notions nouvelles et capitales dans le texte de* VAN DEN HEEDE, *tout en respectant le plus possible ce qu'il y avait de savoureux, de si riche d'une vieille expérience horticole, chez l'auteur primitif.*

Une telle tentative était alors possible, mais elle ne l'est plus maintenant : la science physiologique appliquée au bouturage a proliféré de façon gigantesque ; elle est matière d'un cours d'Université ; elle déborde de trop un traité pratique, car elle ne peut être écrite qu'avec les nuances complexes d'une science inachevée en plein foisonnement.

D'autre part, les souvenirs de feu VAN DEN HEEDE, *si libéralement évoqués à propos de tant de plantes, ne pouvaient plus avoir place à notre époque où le temps compte, où il convient d'être bref, d'aller droit au but, et de se passer de toute superfluité.*

C'est pourquoi j'ai renoncé à tenter une nouvelle fois la gageure de faire une nouvelle édition du vieux livre de VAN DEN HEEDE, *quand j'ai vu que* M. LECOURT, *avec qui j'avais eu de nombreux entretiens, pouvait accomplir une œuvre entièrement nouvelle, c'est-à-dire complètement écrite à nouveau, exactement adaptée à son but, et pourtant répondant aux exigences actuelles comme l'œuvre de* VAN DEN HEEDE *répondit en son temps aux exigences d'alors. En cela, il était vraiment opportun de marquer cette filiation en conservant le même titre.*

L'ouvrage de M. LECOURT *est inspiré par les données les plus correctes de la science et de la pratique, mais il ne contient que ce qui est directement utile au praticien, à l'utilisateur. Il est ainsi, à la fois, moderne, sérieux, complet, pratique, facile à utiliser sans perdre de temps.*

Je lui souhaite le succès qu'il mérite si parfaitement.

Pierre CHOUARD,
Professeur à la Sorbonne,
Membre de l'Académie d'Agriculture.

PREMIÈRE PARTIE

PRATIQUE RAISONNÉE DE LA MULTIPLICATION PAR FRAGMENTATION DE VÉGÉTAUX

CHAPITRE PREMIER

BOUTURAGE ET MULTIPLICATION VÉGÉTALE

Les plantes peuvent être multipliées de nombreuses manières parmi lesquelles le praticien doit choisir, selon les espèces ou les variétés à reproduire.

Le semis. — Une graine déposée en terre germe, croît et donne naissance à un nouvel individu. Par ce procédé il est souvent facile de multiplier en grand nombre des sujets sains et vigoureux, tels les blés de nos plaines. En d'autres cas il est impossible ou très difficile d'obtenir des graines : espèces stériles, souvent les meilleures (à fruits sans pépin ou à fleurs très doubles) ou peu fertiles en nos pays (plantes tropicales).

Pour de nombreuses espèces la transmission des caractères héréditaires s'avère très irrégulière : arbres fruitiers (poiriers, vignes), espèces potagères (artichauts), plantes ornementales (chrysanthèmes, arbustes décoratifs).

La diversité des formes obtenues en ce dernier cas s'explique par les lois de l'hérédité. La graine est en effet issue de l'union de deux gamètes, l'une mâle : le pollen, l'autre femelle : l'ovule (ce qui fait également appeler le semis : multiplication sexuée). Chacun de ces éléments apporte en soi un lot de caractères héréditaires successivement mêlés et disjoints au hasard des fécondations, d'où les variations enregistrées lors du semis des graines issues des plantes croisées souvent depuis de longues générations.

Pour certaines espèces (autogames) telles le blé, la fécondation s'opère avec le pollen et l'ovule de la même plante : peu de variations sont alors à craindre. Pour d'autres (allogames) telles la betterave, la fécondation est croisée et les variations sont fréquentes.

Le bouturage. — Bouturer c'est séparer d'un végétal un organe ou un fragment d'organe pour l'aider à subsister puis à se régénérer, c'est-à-dire à reformer ce qui lui manque pour constituer une plante complète. Cet organe séparé peut être un rameau ou un simple bourgeon dépourvu de racines; ce peut être également une racine sans bourgeons; une simple feuille peut, en certains cas, reformer d'elle-même racines et bourgeons.

Le bouturage, à l'inverse du semis, ne met pas en jeu pour la multiplication de la plante l'action conjuguée de deux parents. Un seul et même végétal se trouve multiplié par fragmentation en plusieurs individus; il y a alors *multiplication végétative.*

L'ensemble des sujets ainsi obtenus à partir d'une même plante constitue *un clône.*

Le bouturage, procédé de multiplication végétative, reproduit normalement des individus présentant toutes les caractéristiques de la plante mère dont ils sont issus.

Il arrive également qu'une mutation s'opère dans une cellule végétale pour se manifester ensuite dans l'organe nouveau. Il est alors possible de fixer cette variation, si elle est intéressante, par multiplication végétative. Cette nouveauté prend alors le nom de « *sport* ».

Autres procédés de multiplication végétative. — Les autres procédés voisins du bouturage sont : le MARCOTTAGE et la DIVISION DE TOUFFES.

Dans le *marcottage*, l'émission d'un organe adventif est provoquée sur le végétal avant la séparation. Par exemple coucher en terre un sarment de vigne pour lui faire émettre des racines, la séparation n'étant réalisée qu'ensuite.

Lorsque la plante produit naturellement des proliférations portant à la fois bourgeons et racines et que de nouveaux individus sont obtenus par leur séparation, il y a *division de touffe*.

Dans les trois cas : bouturage proprement dit, marcottage et division de touffe, il y a multiplication par fragmentation du végétal, puis survie autonome de ces fragments. Ce qui diffère c'est le moment d'émission de l'organe nouveau (avant ou après séparation) ou le procédé employé (émission naturelle ou provocation d'émission de l'organe).

Théoriquement, le procédé de la division paraît plus simple que le marcottage puisqu'il s'agit de séparer un éclat comprenant tout ce qui est nécessaire à la vie. Le marcottage de son côté semble plus commode à effectuer que le bouturage puisque la subsistance de l'organe devant se régénérer est assurée par sa jonction avec la plante mère.

Pratiquement pourtant certaines plantes possèdent de telles capacités de subsistance et de régénération qu'il est plus facile pour ces espèces d'être multipliées par bouturage que pour d'autres être obtenues par division de touffes ou marcottage.

En de même séries de boutures il est possible également de trouver des fragments possédant déjà de façon au moins rudimentaire, l'organe à développer. Il y a alors simultanément pratique de la division et du bouturage.

C'est pourquoi ces trois procédés, très voisins et exigeant des soins analogues ne seront pas toujours systématiquement séparés en ce livre.

Le greffage. — Le greffage consiste à associer deux végétaux en un seul en sorte que le plus souvent l'un d'eux constitue l'appareil aérien de la plante et l'autre le système radiculaire. Il y a bien alors, au moins pour l'un des deux végétaux utilisés, propagation de clône et multiplication végétative. Il n'y a pas pourtant régénération mais substitution d'organe, c'est pourquoi le greffage ne sera pas étudié ici du moins en temps que tel.

Le greffage présente suivant les cas, avantages et inconvénients propres. Il permet de multiplier des plantes ne se reproduisant pas ou très mal par semis et dont la régénération d'organes est très difficile ou impossible.

Grâce aux méthodes modernes, il est parfois possible de lui substituer avantageusement le bouturage. Pourtant en d'autres circonstances il est préférable de continuer d'y avoir recours malgré la main-d'œuvre importante qu'il réclame, en particulier lorsqu'il s'agit d'unir les qualités respectives de deux végétaux : résistance aux parasites de l'un et qualité des productions de l'autre, adaptation aux conditions particulières du milieu, réglage de la vigueur et la fertilité (essences fruitières en particulier).

De toutes façons, pour la multiplication des porte-greffes, le greffage reste tributaire du semis ou des divers autres procédés de multiplication végétative.

CHAPITRE II

INITIATION AU BOUTURAGE

Certains procédés, à la portée de tous et réalisables avec un matériel restreint, peuvent permettre à quiconque le désire, de s'initier à la pratique et aux principes de la multiplication végétative.

Divisions de souches.

Une plante bulbeuse typique : la Tulipe. — A la fin de l'été c'est un simple bulbe c'est-à-dire un gros bourgeon pourvu d'écailles charnues supportées par une tige très courte « le plateau ». Le bulbe est pourvu de radicelles très rudimentaires et n'exerce alors qu'une activité ralentie. Sa résistance aux agents extérieurs (sécheresse en particulier) est très grande et la Tulipe peut subsister sans grand détriment pour sa végétation ultérieure, dans un sol aride ou séparée pour un temps de son milieu normal.

En automne, le bulbe planté en terre reprend une certaine activité. Le bourgeon central évolue très peu par contre le système radiculaire se développe rapidement. A cette époque les pluies plus abondantes conservent au sol une humidité favorable à l'alimentation en eau des racines. La température de l'atmosphère diminue tandis que celle du sol se conserve beaucoup plus longtemps.

L'eau du sol, chargée de sels minéraux pénètre alors dans les radicelles et parvient par les fins canaux du bois aux grosses cellules des écailles particulièrement chargées de réserves nutritives. Celles-ci diluées reviennent ensuite aux points végétatifs : « méristèmes » du bourgeon central et des racines. L'activité du système radiculaire est alors favorisée par la température et l'humidité du sol.

L'aération du sol exerce également une influence importante sur les activités du bulbe et la croissance des radicelles : grâce à elle, s'exerce l'activité respiratoire des tissus végétaux, nécessaire aux transformations vitales.

Pendant tout le cours de l'hiver les circonstances atmosphériques défavorables ne permettent pas le développement de l'appareil aérien de la Tulipe. En conditions de végétation normale, c'est seulement aux premiers beaux jours du printemps, quand les rayons plus chauds du soleil élèvent la température atmosphérique, que se développe avec vigueur et rapidité l'appareil aérien. Le bourgeon central croît, les cellules initiales qu'il renfermait se multipliant puis formant de nouveaux tissus, tige et feuilles se développent alors. Une activité nouvelle commence pour la plante : jusqu'alors elle vivait sur les réserves accumulées l'année précédente; celles-ci se sont graduellement épuisées et le vieux bulbe s'est vidé. Maintenant les feuilles développées permettent l'élaboration des substances nécessaires à la croissance; sous l'action de la lumière la chlorophylle (substance verte des feuilles) combine le gaz carbonique de l'air avec l'eau chargée de sels minéraux puisés par les racines et transmis par les vaisseaux du bois. Les nouvelles substances ainsi formées sont transportées par les vaisseaux du liber dans toutes les parties du végétal.

Non seulement la vie de la plante est ainsi entretenue et son développement assuré mais encore, à la base d'écailles de l'ancien bulbe, s'accumulent de nouvelles réserves sous forme de bulbes nouveaux.

De végétation très active à cette époque, la plante dépend étroitement des conditions du milieu où elle vit. Arrachée, ses racines brisées ne lui permettant plus d'absorber l'eau et les sels nécessaires à sa vie, les feuilles fanent rapidement et la Tulipe peut périr. Même replacée aussitôt en terre la croissance des nouveaux bulbes se trouve interrompue ou fortement entravée.

L'été apporte de nouvelles modifications des conditions du milieu où vit le végétal : l'intensité lumineuse et calorifique des rayons solaires s'accroît; bénéfique au printemps elle devient maintenant excessive et s'accompagne de sécheresse; le feuillage jaunit puis se dessèche ainsi que les radicelles. La souche peut alors être extraite de terre. L'ancien et unique bulbe maintenant disparu est remplacé par d'autres : certains sont gros et bien constitués, d'autres petits. Bulbes et bulbilles forment une touffe mais ne sont en fait réunis entre eux que par des tissus morts et constituent des individus bien distincts les uns des autres.

Cette Tulipe, matière d'œuvre du multiplicateur observée lors des phases successives de sa végétation, a montré une organisation complexe. C'est un individu vivant formé de cellules, de tissus et d'organes évoluant dans le cours des saisons par leur activité propre. Cette activité est pourtant extrêmement dépendante des conditions de milieu où la plante vit : sol et atmosphère, aux conditions variables de température, d'humidité, de lumière, d'aération, etc.

Pour une bonne multiplication il importe de bien connaître le processus d'évolution de la plante afin de choisir le moment propice et les moyens les mieux appropriés à la division. Pour la Tulipe, c'est extrêmement simple puisque celle-ci, d'elle-même, reforme des proliférations (bulbes et bulbilles semblables à la souche initiale). Ces nouveaux bulbes ne sont parfaitement formés qu'à l'issue d'un cycle végétatif bien marqué : il convient donc d'arracher la souche lorsque feuilles et racines sont naturellement desséchées : laisser alors ressuyer les bulbes sur le sol avant de les entreposer; les rentrer en cave saine ou en cellier et les conserver à l'abri de la dent des rongeurs, en milieu suffisamment aéré pour éviter les fermentations (l'activité du bulbe est alors ralentie mais non complètement interrompue : le bulbe, être vivant en sommeil, respire doucement).

Le choix de l'époque d'arrachage est important : opère-t-on trop tôt? les bulbes sont insuffisamment mûrs et manquent des réserves nécessaires; sont-ils laissés en terre jusqu'au début de l'automne? de nouvelles radicelles se sont alors développées; arracher la plante c'est alors briser de jeunes organes au détriment de la végétation nouvelle.

Quelques soins sont à observer au moment de la séparation des bulbes : éviter de déchirer des tissus et pour cela attendre la maturité complète qui se parachève après l'arrachage.

L'intervention du praticien sur les conditions de milieu présente également son importance : un sol léger, riche en humus, fumé et aéré par les façons culturales ainsi qu'un climat régulièrement doux sont particulièrement favorables.

La végétation doit se poursuivre après la floraison : arrosages et binages permettent de maintenir l'humidité du sol sans laquelle la végétation ralentit ou se trouve interrompue lors d'un printemps trop sec. Trop d'humidité, par contre, empêcherait l'aération du sol et favoriserait les maladies cryptogamiques.

Pour la Tulipe (choisie ici comme plante type), comme pour la plupart des espèces végétales, un certain équilibre est de règle et une grande partie de l'art du multiplicateur consiste à le rétablir sans cesse, alors que varient les conditions de végétation, inhérentes au végétal lui-même et au milieu dans lequel il vit.

Un genre analogue : le Glaïeul. — « Analogue », c'est-à-dire semblable sous un certain point de vue et différent sous un autre, ceci peut être dit de tout végétal comparé à un autre : structure de la plante, cycle végétatif, soins à apporter à la culture et à la multiplication : le multiplicateur doit à la fois posséder la connaissance des lois générales conditionnant toute vie végétale et un sens du concret et des nuances suffisant pour s'adapter à des exigences souvent très variables.

Ainsi le Glaïeul, comme la Tulipe, possède une souche charnue. Son apparence extérieure et sa structure interne diffèrent pourtant quelque peu : ici le bulbe est large et aplati, les écailles sont réduites; la majeure partie des réserves est emmagasinée dans le plateau développé : c'est un « cormus » ou bulbe solide. Comme chez la Tulipe la souche se renouvelle chaque année en reformant bulbes et bulbilles; pourtant les proliférations nouvelles prennent naissance au-dessus de l'ancien bulbe. La Tulipe interrompt sa végétation au début de l'été pour la reprendre en automne; le Glaïeul, sous nos climats, arrête de végéter au début de l'hiver pour croître à nouveau au printemps et pendant tout l'été. En conséquence le Glaïeul est à arracher aux premiers froids et à abriter pendant l'hiver. La même cave et les mêmes paniers qui ont abrité les Tulipes de l'été à la fin de l'automne peuvent protéger les Glaïeuls pendant l'hiver.

Diversité des espèces à souche charnue. — Parfois très gros (Crinum) et parfois très petits (Scilles), se renouvelant annuellement (Tulipe) ou après plusieurs années (Narcisses), tuniqués (Jacinthe) ou écailleux (Lis) les bulbes présentent ainsi de multiples aspects; certains sont rustiques (Crocus) d'autres le sont beaucoup moins (Amaryllis). Quelques espèces telle la Tulipe saxatile, portent leurs bulbilles à distance, grâce à un pédicelle; d'autres produisent des bulbilles sur leurs organes aériens : hampes florales (Lis tigré) ou inflorescences *(Allium vineale)*.

De nombreuses autres plantes peuvent subsister grâce à des réserves souterraines et sont classées commercialement sous la dénomination générale de plantes bulbeuses. Elles constituent souvent en fait des formes parfois assez différentes les unes des autres.

Drageons tubérisés : ce sont des tiges souterraines rampantes présentant de place en place des renflements charnus. Il est à observer que non seulement les apparences varient, mais également la constitution chimique des réserves : amidon pour la Pomme de terre, capable de rester longtemps en milieu relativement sec, inuline pour le Topinambour, beaucoup plus difficile à conserver hors de terre.

Rhizomes charnus : constitués par des tiges souterraines courtes comme chez l'Iris. En d'autres cas ce ne sont plus les tiges, mais les *racines* qui constituent les organes de réserves (Dahlia).

D'autres espèces forment des *souches compactes et de formes diverses* (pattes d'Anémone, tubercules de Bégonia tubéreux).

Division des plantes bulbeuses. — Les plantes bulbeuses connaissent le plus souvent une période de repos. Celle-ci est la plus favorable pour la division car alors la souche contient tout ce qui est nécessaire pour sa subsistance indépendamment des conditions extérieures. La bonne période d'arrachage, pour une espèce à végétation complètement interrompue se situe pendant cette période de repos : c'est l'été pour les plantes à végétation printanière et l'hiver pour celles à végétation estivale. Les souches sont arrachées au moment de la disparition de l'appareil aérien causée soit par la sécheresse (été) soit par le froid (hiver).

Les bulbes sont conservés, après ressui, dans un endroit sec et ne sont séparés que lorsqu'ils se détachent facilement. Les bulbilles ou souches craignant la dessication sont conservées en stratification dans du sable, de la terre, ou de la tourbe fraîche mais non humide. Les Cannas, Dahlias, Bégonias tubéreux sont gardés sans être divisés jusqu'à l'époque de mise en végétation : ils se conservent mieux ainsi.

Certaines espèces sont faciles à séparer, telles celles produisant des bulbes ou des drageons tubérisés, par contre dans le cas de souches massives (Bégonia tubéreux) le sectionnement doit être effectué proprement, avec un outil tranchant, en conservant un œil sur chaque division : appliquer de la poudre de charbon de bois sur la plaie et laisser ressuyer pour favoriser la cicatrisation. Les Dahlias, lors de la division de la souche, doivent également garder un œil au collet car les racines coupées seules ne développent pas de bourgeons. Pour les Dahlias et les Bégonias tubéreux il est souvent préférable de mettre la souche en végétation avant de diviser, les bourgeons devenant alors beaucoup plus visibles.

Plantes vivaces rustiques à arrêt de végétation marqué. — En dehors des plantes bulbeuses proprement dites beaucoup d'espèces dites « vivaces » perdent leur système aérien pendant une partie de l'année mais subsistent grâce à leurs drageons ou racines (Aster, Pivoine).

Les organes souterrains, tiges et racines, sont analogues à celles des plantes bulbeuses déjà observées mais les réserves qu'elles contiennent sont beaucoup moins importantes, le cycle végétatif est interrompu également soit en hiver, soit en été, la végétation et la floraison ayant lieu pendant d'autres saisons de l'année.

Les tiges souterraines sont souvent des rhizomes ou des drageons. En d'autres cas les souches sont compactes et s'accroissent lentement en surface par enracinement de nouveaux bourgeons (Oseille, Pivoine).

Les conditions générales de division sont les mêmes que pour les plantes bulbeuses. Il importe pourtant pour ces végétaux ne possédant pas d'organes de réserve importants, de ne pas les laisser exposés à l'air trop longtemps; les conserver en jauge saine si la plantation définitive ne doit pas avoir lieu aussitôt après l'arrachage. Là encore la division a lieu après ou avant la période de végétation active.

Fig. 1. — La bouture est prélevée sur une plante-mère saine.

Fig. 2. — La base de la bouture est coupée proprement, puis nettoyée de ses feuilles en excédent et de ses stipules.

Fig. 3. — La bouture est repiquée après « ressui » de la plaie et bornée soigneusement.

Fig. 4. — L'arrosage parfait le bornage. Il conviendra pourtant de n'arroser que très modérément pour éviter la pourriture.

PLANCHE I : **UN BOUTURAGE FACILE, CELUI DU PÉLARGONIUM ZONALE**

Fig. 5 et 6. — Rameaux de *Ficus elastica* bouturés. *A droite :* bouture enracinée. →

Fig. 7 et 8. — Tronçons de tige de *Dieffenbachia* bouturés. *A droite :* bouture enracinée. →

Fig. 9. — Tronçon de feuille de *Sanseviera :* bouture enracinée (Remarquer le défaut de décoloration marginale des rejets).

Fig. 10. — Feuille de *Saintpaulia* enracinée et pourvue de bourgeon.

PLANCHE II : **QUELQUES TYPES DE BOUTURAGE AVEC PLANTES DE SERRE**

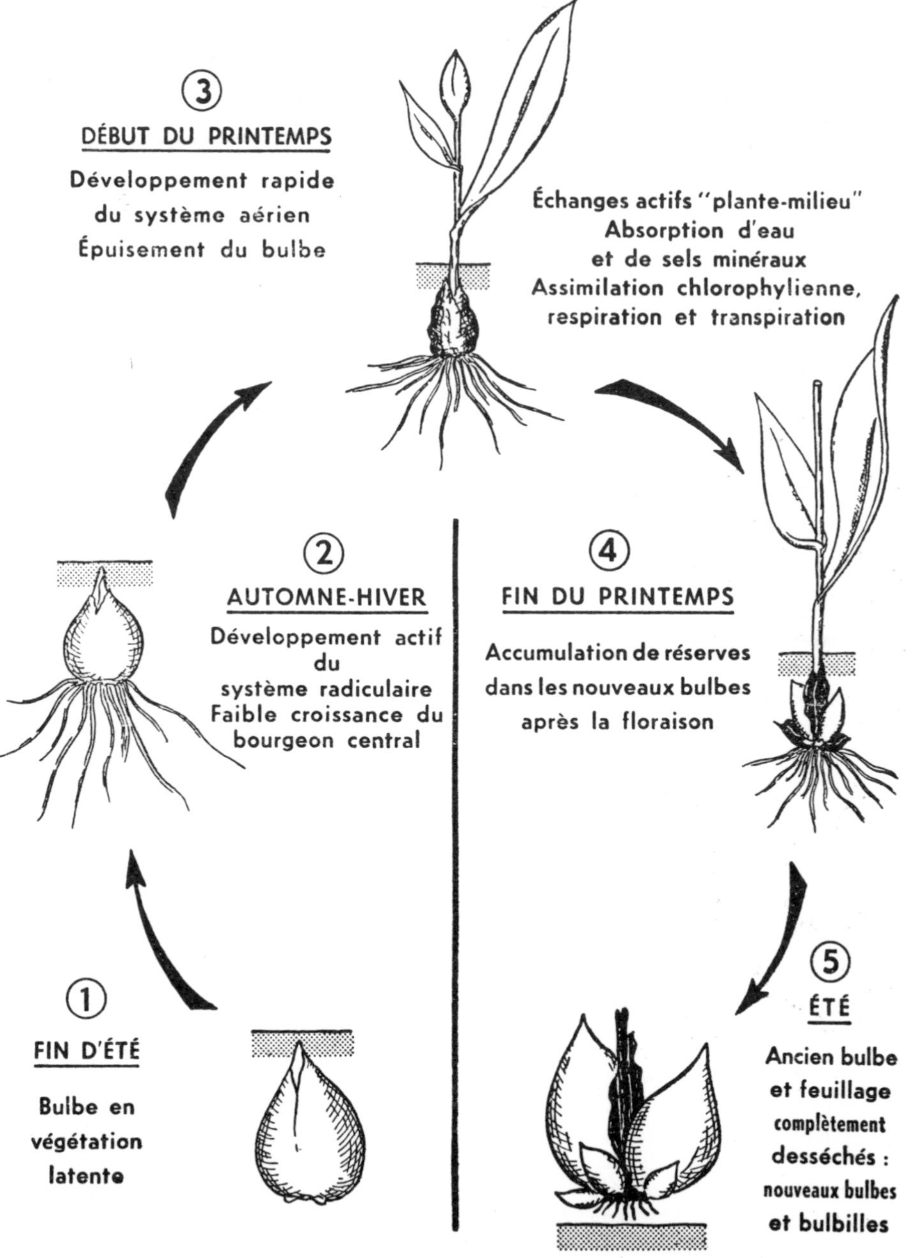

Multiplication végétative naturelle de la Tulipe.

Suivant la nature du sol, compact ou léger, humide ou sec, chaud ou froid, il pourra être indiqué, en particulier pour les divisions s'opérant en hiver, de préférer une multiplication précoce ou tardive. Dans le cas d'un terrain séchard les souches ne risqueront pas de pourrir pendant la mauvaise saison où elles auront le temps de faire de nouvelles racines avant la période sèche si la multiplication est effectuée à l'automne; à l'inverse dans un terrain trop humide il sera préférable d'attendre la fin d'hiver pour fragmenter les souches.

Plantes vivaces à système aérien permanent. — De nombreuses espèces vivaces conservent leurs feuilles et une partie notable de leur activité végétative pendant toute l'année avec une intensité variable suivant les saisons.

Les formes de ces végétaux sont diverses : comme pour les plantes à système souterrain, certaines restent en motte compacte et d'autres prolifèrent en s'étendant rapidement : *tiges radicantes* (Pervenches, Lierre terrestre); *stolons* (Fraisier, Saxifrage sarmenteux); *souches gazonnantes* (Tritoma, Fétuques), etc.

Ces plantes conservant une partie importante de leur système aérien et peu de réserve dans leur souche doivent être transplantées avec certaines précautions : en effet, à l'arrachage, des racines sont brisées et ne peuvent plus fournir aux feuilles toute l'eau nécessaire aux fonctions de transpiration et d'assimilation chlorophyllienne. Le choix de l'époque est alors primordial : le meilleur moment est celui où température et humidité sont suffisantes pour conserver une activité végétative moyenne (automne ou début du printemps). Une division effectuée trop tôt, en été, risque d'amener la dessication de la plante et trop tard, en automne, de favoriser sa pourriture.

Au moment de la séparation, choisir de préférence des éclats bien constitués et bien pourvus de racines. Les prélever, si possible, avec une petite motte et sans les blesser. Dans le cas de souches compactes aux racines enchevêtrées, les démêler à la main. Au cas où le système radiculaire serait brisé ou diminué à l'excès, rafraîchir les extrémités des racines en les coupant proprement et supprimer une partie du feuillage pour diminuer l'évaporation. Planter sans tarder en place ou en pépinière (ou conserver en jauge en attendant la plantation) et enterrer le végétal à sa profondeur normale : une plantation trop profonde risque de provoquer la pourriture des bourgeons, une plante insuffisamment enterrée risque de se dessécher. Arroser fortement pour borner. Si la sécheresse sévit, aider le végétal par quelques bassinages ou arrosages ultérieurs. Pour une plantation effectuée tard en automne, en période froide et en sol compact, n'arroser que très modérément ou pas du tout pour éviter la pourriture, transplanter alors de préférence avec une bonne motte.

Quelques adaptations possibles. — Le cas du Fraisier peut être pris en exemple : cultivé en plein champ, en climat doux, les stolons sont transplantés directement en place en septembre. Une seule manipulation suffit alors. La reprise peut s'effectuer facilement, avant l'hiver, sans soins très assidus. Par contre, dans un jardin où l'on entend récupérer plus tôt les carrés de culture, les stolons peuvent être prélevés et repiqués plus tôt : fin juin-début juillet; à cette époque, les proliférations présentent moins de racines et sont moins développées qu'en septembre, la saison peut alors être sèche et chaude et des précautions particulières s'imposent : à l'arrachage nettoyer les stolons en supprimant une partie du feuillage; prendre des précautions pour le transport en les conservant en caissettes couvertes d'une toile humide : repiquer en planche, en pépinière, à 15 cm de distance, au plantoir, en bornant convenablement; arroser fortement pour la première fois, par la suite quelques bassinages aideront les jeunes plants à résister à la sécheresse. Par soleil trop ardent il est facile, étant donné le grand nombre de plants cultivés sur une faible surface, de les abriter quelques jours avec des claies étendues sur des tringles maintenues elles-mêmes au-dessus du sol par des piquets ou des pots retournés. Ne laisser cet abri que le temps strictement nécessaire pendant les grandes chaleurs du jour et pendant la durée de reprise.

L'ombrage présente l'avantage de réduire l'évaporation mais diminue également l'activité de la photosynthèse : une plante judicieusement ombrée reprend plus facilement; laissée trop longtemps dans l'obscurité elle s'étiole.

Éviter au jeune plant le passage brutal de l'ombre au soleil qui doit se faire au plus tôt mais toujours progressivement. Les stolons ainsi repiqués développent des racines plus nombreuses et qui retiennent facilement une petite motte de terre. La transplantation en plein carré s'effectue soit en octobre-novembre, soit en février-mars. A ces époques de plantation plus tardive, éviter de briser les mottes et de blesser les racines qui se reformeraient plus difficilement en raison du froid dans le premier cas et des premières chaleurs dans le second.

Plantes ligneuses : arbres et arbustes. — Plusieurs espèces de plantes ligneuses, arbres ou arbustes, possédant un appareil aérien développé et permanent, peuvent se multiplier par proliférations naturelles. Ces végétaux sont de tailles assez diverses : petites touffes (*Spiraea bumalda*) ou grands arbres (Ailanthe). Certains interrompent presque complètement leur végétation et perdent leurs feuilles pendant la période hivernale (Lilas), d'autres possèdent un feuillage persistant (Ruscus).

Les procédés de division de touffes présentent plus ou moins d'intérêt suivant les cas. Ils sont couramment employés, par exemple, pour le Framboisier. Pour d'autres espèces (Prunier) les plantes obtenues par séparation de drageons ont la fâcheuse propriété de drageonner beaucoup par la suite (en ce dernier cas il convient d'ailleurs de vérifier si la variété à multiplier n'est pas elle-même greffée, ce serait alors le porte-greffe et non la variété recherchée que l'on propagerait par séparation de drageons).

Pour les *espèces ligneuses à feuillage caduc* la séparation des rejets peut s'effectuer depuis la chute des feuilles jusqu'au départ de la végétation (novembre à mars). Comme pour les plantes vivaces il est préférable d'opérer en terrain sain dès le début de l'hiver alors qu'en terrain très humide la reprise est meilleure à la fin de la mauvaise saison. Il est recommandable également de ne pas laisser sécher les racines des éclats séparés et de placer en jauge d'attente, les fragments de touffes et drageons ne pouvant pas être plantés immédiatement.

L'appareil végétatif aérien est à réduire par la taille afin d'équilibrer ses proportions avec celles du système radiculaire, le plus grand nombre de radicelles possible étant à conserver. Préparer les racines en coupant proprement celles qui auraient été blessées lors de l'arrachage : il est bon de les « prâliner » en les trempant dans un mélange de terre, d'argile et de bouse de vache, rendu fluide par adjonction d'eau. Cette opération empêche le desséchement des fines radicelles et leur fournit des matières nutritives et stimulantes.

La plantation s'opère à profondeur normale en plaçant les racines selon leur disposition naturelle. Les garnir de bonne terre fine, borner et terminer par un arrosage suffisamment copieux afin de faire adhérer les particules fines de terre aux radicelles.

Les *végétaux ligneux à feuillage persistant* sont à prélever autant que possible avec une motte de terre adhérent au système radiculaire, leur reprise étant normalement plus délicate que celle des arbustes perdant complètement leurs feuilles. Pour ces végétaux conservant leur feuillage opérer de préférence au moment où les conditions extérieures sont encore favorables à la végétation (automne ou tout début du printemps).

Pendant le printemps et l'été suivant arroser et bassiner éventuellement si les plantes présentent des signes de fatigue.

Conclusions sur la division de souches. — Ainsi de nombreux végétaux peuvent être multipliés par division de souches ou séparation de proliférations déjà pourvues de radicelles et de bourgeons au moins rudimentaires.

Des adaptations sont nécessaires suivant les diverses espèces végétales : celles-ci sont différentes par leur structure : plantes bulbeuses ou vivaces, herbacées ou ligneuses, à feuillage caduc ou persistant; les exigences quant aux conditions de milieu sont également diverses et leur cycle de végétation plus ou moins marqué.

Lors de la multiplication plusieurs facteurs conditionnent la réussite : le choix de l'éclat et de l'époque où l'on opère, la préparation du fragment séparé enfin l'intervention sur les conditions de milieu afin de rétablir en partie l'équilibre rompu dans le végétal par cette opération chirurgicale qu'est la division de souches.

Les principes mis en œuvre par ce procédé de multiplication sont à observer pour toute multiplication végétative : c'est pourquoi la division de souche peut servir d'initiation à des procédés généralement plus complexes et délicats : marcottages et bouturages.

Marcottages.

Marcotter c'est multiplier un végétal par séparation d'un fragment sur lequel a été provoquée au préalable l'émission d'un organe nouveau. Ainsi la subsistance du fragment devant être séparé est assurée par la plante mère pendant tout le temps nécessaire à l'émission de l'organe nouveau. Ce procédé est surtout appliqué à la multiplication des végétaux ligneux.

Un marcottage type : le « couchage » d'un sarment. — En hiver creuser une tranchée d'une quinzaine de centimètres de profondeur et de 25 à 35 cm de long auprès d'une vigne pourvue d'un sarment vigoureux partant de la base du cep; coucher le rameau dans la tranchée et le fixer au moyen d'un crochet de bois ou d'un brin d'osier plié en deux. Relever l'extrémité du sarment et la palisser à un tuteur après l'avoir taillée au-dessus de deux yeux émergeant du sol, éborgner les autres yeux. Combler ensuite la tranchée de bonne terre en tassant modérément de façon à bien mettre en contact sol et sarment. Au printemps puis en été supprimer tous les bourgeons qui pourraient se développer sur le sarment couché à l'exception des deux bourgeons terminaux que l'on attache sur le tuteur au fur et à mesure de leur croissance, maintenir le sol frais par des arrosages, binages et éventuellement un paillis. Traiter comme les ceps adultes contre les insectes et les maladies. A l'automne suivant, sevrer, c'est-à-dire couper le sarment à l'endroit où il pénètre en terre. La transplantation peut avoir lieu pendant tout le courant de l'hiver comme il a été dit pour la multiplication par division de touffes des plantes ligneuses.

A l'arrachage il est possible d'observer que des racines se sont développées sur la partie enterrée, en particulier aux nœuds, au point d'insertion des yeux et à la partie la plus inférieure du rameau couché.

Explication des phénomènes observés lors du couchage. — Si l'on compare un rameau aérien arqué et le sarment de vigne couché en terre il est remarquable que les bourgeons se développent de préférence au sommet de la partie courbée du rameau aérien. Par contre pour le sarment couché en terre, les racines se développent préférentiellement au point le plus bas.

Comment expliquer ceci? Ce sont les mêmes substances qui nourrissent les productions formées par le sarment; réserves contenues dans les parenchymes de la tige ou produits élaborés par les feuilles. Ces substances sont de deux ordres : certaines produites en quantités importantes fournissent aux tissus les matières nécessaires à leur activité énergétique et à leur accroissement quantitatif, d'autres élaborées en quantité beaucoup plus minime agissent comme stimulants de l'activité cellulaire. Ce sont en particulier, les hormones de croissance ou auxines provenant des méristèmes terminaux des tiges.

Ces substances circulent de façon polarisée, en quantité croissant par accumulation, du haut vers le bas et du sommet à la base des organes.

Elles stimulent d'abord l'élongation des cellules puis leur division. L'effet produit par l'auxine va d'abord croissant avec son degré de concentration pour aboutir finalement, à dose plus élevée, à l'inhibition de l'activité d'abord favorisée.

La lumière détruit les hormones en sorte que l'élévation de leur degré de concentration se trouve favorisée par l'obscurité.

Les auxines peuvent favoriser également la différenciation des tissus végétaux en bourgeons ou racines suivant leur degré de concentration : des doses faibles sont favorables à l'émission de bourgeons et des concentrations plus fortes peuvent provoquer la formation de racines.

L'action de ces substances explique ainsi pourquoi le couchage en terre provoque l'émission de radicelles sur la partie enterrée du sarment : par concentration des auxines résultant à la fois de l'effet de la courbure et de l'obscurité. Les rudiments de jeunes radicelles trouvent ensuite en terre les conditions d'humidité favorables à leur développement.

Dans le cas du sarment de vigne les radicelles sont émises en particulier au nœud et surtout à l'emplacement de l'œil. D'autres espèces produisent également des racines dans le mérithalle ou entre-nœud. De toutes façons ce sont les tissus les plus actifs, le cambium en particulier, qui produisent les nouvelles radicelles par divisions successives de leurs cellules vivantes.

Autres marcottages par couchage. — Suivant les formes que prennent les ramifications et l'importance de leur développement, certaines modifications peuvent être apportées au procédé du couchage. Par exemple les arbustes sarmenteux, telle la Glycine, peuvent être marcottés « *en serpenteau* » c'est-à-dire en couchant le rameau et le faisant émerger de terre plusieurs fois consécutives.

Un autre procédé, dit « marcottage chinois », permet d'obtenir de nombreuses plantes avec un seul rameau : pour cela à la fin de l'hiver, fixer horizontalement et sur toute sa longueur le rameau à traiter dans une tranchée peu profonde. Les yeux se développent en bourgeons que l'on recouvre de bonne terre au fur et à mesure de leur croissance de façon à ce que la base se trouve finalement garnie sur 10 à 15 cm de hauteur. Des racines se développent à la base du rameau de l'année. Comme pour les autres procédés entretenir la fraîcheur du sol pendant l'été et apporter à la plante les traitements antiparasitaires appropriés.

De nombreux végétaux peuvent être multipliés de cette manière et reprennent facilement sur le jeune bois. Il est naturellement nécessaire en ces conditions de pouvoir disposer de souches basses et de rameaux suffisamment flexibles.

Si le sol utilisé pour garnir la base des rameaux destinés à s'enraciner est particulièrement apte à maintenir à la fois l'humidité, une aération suffisante et permet d'apporter progressivement les substances nutritives nécessaires aux jeunes radicelles le résultat obtenu est d'autant meilleur. A cet effet peuvent être ajoutés avec profit à la terre utilisée des matières organiques (terreau, tourbe) et du sable de rivière.

Certains marcottages sont plus délicats à réaliser tel celui du Magnolia que l'on pratique au printemps avec des ramifications de deux ans. Il faut prendre bien garde de ne briser ni la branche courbée ni les rameaux d'un an dont la base est mise en terre avec son empattement.

De reprise lente cette plante est sevrée en deux fois. La tige nourricière est sectionnée l'année suivant le couchage, une première fois sur la moitié de son diamètre au printemps et une seconde fois complètement à l'automne, la transplantation ayant lieu pendant l'hiver suivant.

Marcottage en butte ou cépée. — Ce procédé permet de multiplier avec économie de main-d'œuvre des végétaux ligneux d'enracinement assez aisé, en particulier de nombreux porte-greffe fruitiers.

Dans ce but les jeunes souches sont plantées en lignes espacées de 1 m environ (afin de faciliter les travaux) puis elles sont rabattues à quelques centimètres au-dessus du sol afin de les obliger à développer très bas leurs rameaux. Dès le développement de ceux-ci un premier buttage est pratiqué afin de garnir de terre le jeune bourgeon; ce buttage est renouvelé une fois ou deux par la suite. Le sevrage s'opère pendant l'hiver suivant en dégageant la souche et en coupant ou éclatant les rameaux enracinés. Les espèces formant des racines rapidement sont sevrées les premières (Cognassier) pour d'autres il est préférable d'attendre la fin de l'hiver (Pommiers porte-greffes).

Le buttage peut être effectué à la main ou à l'aide d'une machine traînant un soc butteur. Le terrain gagne à être travaillé avant le buttage afin d'être meuble et bien divisé. A ce moment le sol est également à amender, par des apports organiques en particulier. La fraîcheur du sol est ensuite à entretenir pendant le cours de l'été.

A l'arrachage les plants sont triés, les meilleurs devant être plantés en ligne pour être greffés ou formés; les autres, faibles ou mal enracinés sont placés en rigoles afin qu'ils se fortifient pendant encore une année. Chacune des années suivantes les souches peuvent fournir une nouvelle série de marcottes.

Marcottage par émission de bourgeons. — Le terme « marcottage » peut signifier aussi bien provocation d'émission préalable de bourgeons adventifs que de racines dans le but d'obtenir une nouvelle plante. Ainsi lorsque l'on blesse certaines racines d'arbres (Acacia par exemple), il se forme sur les bourrelets cicatriciels des bourgeons adventifs permettant ensuite par séparation d'obtenir de nouvelles plantes. Il est à remarquer à cette occasion que des auxines spéciales dites « hormones de blessures » sont produites par les organes blessés et favorisent la régénération.

Bouturages.

Le bouturage proprement dit consiste à séparer un fragment de végétal, à le maintenir en vie et lui permettre de se régénérer, c'est-à-dire reformer le ou les organes manquants pour constituer une plante complète.

Ces boutures peuvent être classées en plusieurs catégories :

a) Suivant la nature de l'organe séparé (de rameau ou de bourgeon, de racine, de feuille, etc.);

b) Suivant son état (rameau ligneux ou herbacé);

c) Suivant l'époque où le travail s'opère (hiver, printemps, été, automne);

d) Suivant également les divers traitements que peut subir la bouture.

Rameaux ligneux dépourvus de feuille. — Il arrive que l'on réalise ce genre de bouturage de façon involontaire, par exemple en laissant des paquets de rameaux d'Osier destinés aux ligatures tremper dans un bassin ou en utilisant des tuteurs trop fraîchement coupés : il se développe ainsi parfois des racines.

Utilisant ces propriétés des rameaux séparés de s'enraciner facilement chez certaines espèces, les cultivateurs coupent parfois, pendant l'hiver, des branches de Peuplier ou de Saule, de 50 cm à 1 m de long qu'ils taillent en biseau afin de pouvoir les ficher plus facilement en terre; ces branches plantées au bord des eaux dans le but de retenir les rives reprennent facilement et rapidement. Ce sont des boutures dites « en plançon ».

Dans la pratique courante, la multiplication par boutures ligneuses se fait par rameaux de 20 à 30 cm de long suivant la force du végétal.

Les rameaux utilisés sont choisis bien aoûtés (c'est-à-dire durcis par formation des fibres ligneuses, ce qui s'opère naturellement à partir du mois d'août) et coupés pendant l'hiver à longueur régulière pour faciliter leur repiquage ultérieur.

Les boutures préparées sont conservées, soigneusement étiquetées et classées, en jauge, dans un lieu sain et abrité des changements brutaux de température (au pied d'un mur exposé au nord par exemple) : les boutures un peu courtes plantées directement en pleine terre à cette époque risqueraient de se trouver soulevées par le gel et de se dessécher ensuite.

Il est possible également de les conserver dans une cave, enjaugées dans le sable frais. Les boutures attendent ainsi sans souffrir l'époque de leur plantation qui a lieu à la fin de l'hiver en mars-avril; elles forment ainsi lentement un bourrelet cicatriciel et les tissus commencent parfois d'évoluer en rudiments de racines.

Il est indiqué de préparer le terrain en le travaillant, l'amendant et le fumant avant les grands froids si possible, afin qu'il se trouve en parfait état d'aération, de fraîcheur et de finesse à la fin de l'hiver.

A la plantation les boutures sont espacées de 25 à 50 cm entre les rangs et de 10 à 20 cm sur la ligne suivant leur développement ultérieur.

Les rameaux courts, à planter à faible distance sont disposés en rigoles ouvertes à la bèche ou à la charrue et enterrés jusqu'aux 4/5 de leur hauteur, la tranchée est ensuite comblée et les boutures soigneusement bornées à la base. Dans les pays méridionaux où la sécheresse est particulièrement à craindre les lignes de boutures sont creusées sur de petites buttes et les rameaux recouverts de terre fine. Il est ainsi possible d'irriguer sans noyer dans l'eau les boutures, elles-mêmes protégées du dessèchement par la terre qui les recouvre.

Les rameaux coupés plus longs et plantés à plus grande distance le sont au plantoir. Il est utile de prâliner la base des boutures avant la plantation. Pendant l'été il est indiqué de maintenir la fraîcheur ambiante par quelques arrosages, bassinages et binages. En endroits particulièrement secs en raison de l'insolation ou des vents les boutures sont plantées en planches à l'abri de rideaux de Thuyas, de Roseaux ou au pied de murs au nord. L'hiver suivant les plants repris sont relevés et triés, les meilleurs directement plantés pour la culture normale, les plus faibles placés en rigoles où ils se fortifient encore pendant un an.

Rameaux ligneux et demi-ligneux pourvus de feuilles. — L'Œillet mignardise peut être choisi comme type de ce genre de bouture réalisable facilement en plein air pour plusieurs espèces. L'Œillet mignardise se présente sous forme de touffes étalées comprenant des jeunes pousses encore herbacées, réunies en bouquet sur des tiges déjà ligneuses. Celles-ci éclatées à leur point d'attache et nettoyées des feuilles malades ou en excès, sont repiquées directement en place en les enterrant jusqu'aux jeunes rosettes. Cette multiplication est pratiquée en septembre quand la base des boutures a acquis une bonne maturité alors que les conditions climatiques sont plus douces qu'en plein été. A cette époque la reprise s'opère normalement avec une grande facilité pourvu que l'on ait eu soin de borner soigneusement les boutures au plantoir d'abord puis par un copieux arrosage. Lors de la préparation des boutures, éviter de laisser séjourner les plantes feuillées à l'air et au soleil : les protéger par une toile humide et les repiquer au plus tôt.

Si la saison ou le climat étaient trop secs repiquer en pépinière en atténuant les rayons du soleil d'un ombrage amovible à supprimer d'abord temporairement par temps couvert puis totalement dès la reprise assurée.

La transplantation peut avoir lieu avec mottes en automne ou au printemps. Éviter dans les deux cas une opération trop tardive afin que la reprise soit assurée dans le premier cas avant les grands froids, ou, dans le second, avant les grandes chaleurs. Plusieurs arbustes d'ornement, tel le Laurier cerise, peuvent reprendre ainsi mais il est préférable pour eux d'opérer habituellement sous ombrière ou sous vitrage comme il sera indiqué plus loin.

Rameaux herbacés et demi-herbacés. — Certaines plantes préfèrent être multipliées par rameaux forts et bien aoûtés. D'autres, au contraire, produisent plus facilement des racines sur des tissus jeunes et tendres. Ce genre de bouturage peut être pratiqué pendant tout le cours de la végétation quand les circonstances extérieures sont propices. De nombreuses boutures herbacées sont, en effet, peu résistantes à la sécheresse, que ce soient des plantes dites molles ou des arbustes aux tiges coupées encore très jeunes : elles doivent, de ce fait, être préservées de la dessication. Certaines peuvent pourtant être multipliées assez facilement en plein air pendant le cours de l'été, tel le Pélargonium zonale (« Géranium » des fleuristes) qui reprend fort bien d'extrémités de tiges coupées à 10 cm de longueur environ, de préférence sous un nœud. La coupe doit être faite proprement avec un greffoir bien affilé pour ne pas blesser les tissus. Les deux ou trois feuilles supérieures sont gardées entières si leur surface n'est pas excessive, autrement la moitié ou le tiers du limbe est à supprimer. Les stipules qui s'insèrent à la base des feuilles sont soigneusement ôtées car elles pourrissent très facilement et communiquent la maladie aux boutures.

Le Pélargonium est une plante craignant plus la pourriture que la sécheresse. Il convient donc de laisser ressuyer quelques heures la base des coupes dans un endroit aéré et ombré à la fois, le repiquage ayant lieu ensuite à raison de deux cent boutures environ au mètre carré.

Ces boutures sont repiquées en planches, en terrain ameubli : un sol trop compact est à recouvrir au préalable d'un demi centimètre de sable de rivière sec qui, s'insérant à la base des boutures au moment du repiquage, assainit et aère le terrain. Certains praticiens repiquent en pleine terre pour rempoter ensuite les boutures à une par godet de 5, 6 ou 7 cm de diamètre, ou trois boutures par godet de 8 ou 9 cm, d'autres bouturent directement en godet ce qui évite une manipulation.

Éviter d'enfoncer trop profondément la tige dans le sol (2 à 3 cm suffisent) mais bien borner (une bouture bien repiquée doit résister à une légère traction exercée sur le feuillage); arroser à raison de 5 à 10 l/m^2 suivant les conditions climatiques et la porosité du sol. N'arroser ensuite que lorsque le terrain sèche.

En terrain et climat humide repiquer en planche surélevée et drainée : protéger éventuellement les boutures par des vitrages posés sur des pots. En climat sec et par insolation trop brutale, ombrer pendant les heures les plus chaudes du jour, mais avec beaucoup de modération pour cette plante de soleil. Cesser tout ombrage dès que possible. Les praticiens bouturent le Géranium pendant l'été surtout dans le courant du mois d'août pour l'hivernage en serre froide. Il est possible de prélever plus tôt des boutures pour obtenir des plantes plus fortes.

Pour une multiplication plus tardive et en raison des conditions climatiques défavorables il est nécessaire d'utiliser des abris vitrés et parfois une chaleur d'appoint.

De nombreuses plantes vivaces herbacées (Céraiste, Aubriète) reprennent bien de cette manière, en septembre en particulier. Il est préférable pour ces espèces moins résistantes à la sécheresse de repiquer les boutures en pépinière dans un endroit frais, et de les tenir plus humides et mieux abritées du soleil trop ardent. L'utilisation d'abris vitrés froids peut rendre éventuellement de grands services, comme il sera indiqué plus loin.

Racines. — Le bouturage de rameau a consisté à séparer en fragment de tige et à lui faire émettre des racines. Plusieurs espèces bourgeonnant facilement sur des racines peuvent être multipliées par fragments de celles-ci (Ailante, Tecoma). Coupées pendant l'hiver et semées en terre en rigoles de quelques centimètres de profondeur puis recouvertes de terre fine, ces boutures sont soignées pendant l'été suivant comme des boutures de rameaux ligneux dépourvus de feuilles. Ces boutures sont souvent placées verticalement ou légèrement inclinées car elles développent souvent leurs bourgeons à leur extrémité apicale (Pavots vivaces, Anchusa). En bien des cas pourtant il suffit de coucher horizontalement les tronçons de racines, plusieurs bourgeons pouvant percer à travers l'écorce (Phlox vivace, Anémone du Japon). Il est nécessaire d'utiliser des tronçons de racines suffisamment forts afin qu'ils possèdent les réserves suffisantes à leur croissance ultérieure.

Écailles de bulbes. — En été, lorsque l'on transplante les bulbes de lis, il arrive que des écailles se détachent d'elles-mêmes. Il est possible d'obtenir avec chacune une bulbille nouvelle qui, dans les années suivantes, pourra fournir une plante adulte. Pour cela semer ces écailles sur un terrain ameubli à l'avance, les poser côte à côte et les recouvrir d'un demi-centimètre de sable pour les protéger de la sécheresse, tenir le sol frais. Les réserves contenues dans l'écaille permettent à sa base la formation d'une bulbille et de radicelles. Laisser cette jeune plantule sur place pendant un an, ensuite la traiter comme un bulbe normal. Ici le fragment de végétal, une écaille de bulbe, autrement dit une feuille modifiée, chargée de substances de croissance diverses est capable de reformer deux types d'organes qui lui manquaient, à savoir : bourgeons et racines.

Les quelques expériences de multiplication végétative présentées jusqu'ici sont faciles à réaliser et, avec un minimum de sens d'observation et d'adaptation, doivent permettre de réussir quelques essais simples et intéressants à la fois. Peut-être encourageront-elles à l'usage des méthodes plus complexes exposées plus loin.

BIBLIOGRAPHIE

CHOUARD (P.) : Éléments de botanique (morphologie et physiologie), *Le Bon Jardinier*, 151e édition, 1947.

— Éléments de botanique (structure, organographie, physiologie des plantes), chap. 7, *Le Bon Jardinier*, 152e édition.

LECOURT (M.) : Multiplication des végétaux, chap. 9, *Le Bon Jardinier*, 152e édition.

CHAPITRE III

PERFECTIONNEMENT DES PROCÉDÉS DE BOUTURAGE PAR ACTION SUR LES CONDITIONS D'ENVIRONNEMENT

Multiplication sous ombrières et sous vitrages froids. — De nombreux végétaux ligneux ou herbacés peuvent être multipliés par boutures de rameaux feuillés.

La reprise est plus ou moins facile suivant les possibilités d'enracinement de la plante et les conditions d'environnement. Afin de réduire l'évaporation du feuillage les boutures sont souvent repiquées, *en contrées chaudes*, sous ombrières et maintenues humides grâce à des arrosages et bassinages fréquents.

De nombreux arbustes verts, plantes molles et vivaces sont ainsi multipliés à la fin de l'été et reprennent facilement.

Dans *la région parisienne* où la température ambiante est moins soutenue, il est préférable d'opérer à cette époque sous vitrages froids, ceux-ci aident à concentrer et conserver la chaleur et permettent de réduire l'évaporation en même temps que les arrosages.

Repiquer les boutures de façon à ce que les feuilles occupent la surface du terrain sans se trouver trop serrées les unes contre les autres, ensuite arroser, puis placer le châssis : ombrer et laisser un peu d'air pour laisser évacuer l'excès d'humidité, fermer ensuite hermétiquement. Un feuillage tendant à faner indique dans les jours suivants une mauvaise fermeture des châssis ou un défaut d'arrosage; la pourriture des boutures est normalement le signe d'une humidité trop forte. Il est parfois nécessaire en période de forte insolation de placer un double ombrage : blanchir d'abord les vitres avec du blanc de Meudon étendu d'eau et d'un peu d'huile de lin. Compléter cet ombrage permanent d'une claie déroulée pendant les heures les plus lumineuses du jour.

Certaines des espèces multipliées ainsi, rustiques ou demi-rustiques peuvent passer l'hiver dans les châssis où elles ont été repiquées (Laurier cerise, Calcéolaires rugueuses). De la même façon sont hivernées les plantes vivaces fragiles dont les éclats sont séparés et repiqués sous châssis à la fin de l'été (prolifération d'Écheveria, drageons de Chrysanthèmes).

Les espèces plus délicates sont bouturées les premières puis rentrées, repiquées en petits godets ou en pleine bâche dans la serre qui leur convient.

Pour de petites quantités ou pour les espèces exigeant un étouffement soigné les cloches maraîchères sont d'une bonne efficacité. Leur forme permet d'ailleurs l'écoulement des gouttes de condensation qui ainsi ne retombent pas sur les feuilles dont elles risqueraient de provoquer la pourriture. Les cloches présentent pourtant l'inconvénient d'être de manipulation délicate.

Le bouturage sous châssis froid peut être également utilisé pour des plantes multipliées à la fin de l'hiver (racines de Phlox decussata, rameaux ligneux de Juniperus sabina) au cours du printemps ou de l'été (rameaux herbacés d'arbustes d'ornement : Prunus).

Certaines espèces reprennent lentement et il faut parfois attendre plusieurs mois avant de les voir produire des racines (Conifères nains); d'autres s'enracinent assez rapidement (Calcéolaire rugueuse). Dès que l'on s'aperçoit du début de cette reprise caractérisée par une meilleure tenue de la plante et souvent par un début de renouveau de végétation du feuillage, il convient d'habituer progressivement la plante à l'air et à la lumière en ouvrant les châssis d'abord légèrement puis en grand si la température le permet, et en diminuant ou supprimant l'ombrage.

Pendant l'hiver, les espèces conservées sous châssis sont aérées au maximum par beau temps, les coffrages étant fermés et couverts pendant les gelées. N'arroser qu'avec parcimonie et seulement par beau temps.

Utilisation de la chaleur artificielle.

Exigences diverses des espèces cultivées. — Beaucoup d'espèces originaires des régions au climat tempéré sont rustiques et subsistent toute l'année en plein air en nos contrées. D'autres, seulement demi-rustiques demandent une plantation en lieu bien exposé ou un léger abri pendant l'hiver (buttage, couverture de paille, vitrages froids et paillassons).

Les plantes importées des régions tropicales ou équatoriales exigent, pendant une période plus ou moins longue de l'année, un abri vitré et chauffé. C'est ainsi qu'elles sont classées en espèces de serre froide (10 °C et moins), de serre tempérée (15 °C environ) et de serre chaude (20 °C et plus).

Cette température intérieure des serres est à maintenir de quelques degrés plus élevée le jour que la nuit.

Dans ces serres les végétaux sont abrités pendant tout l'hiver ainsi que pendant une partie au moins de l'automne et du printemps. Pour les espèces de serre froide ou de serre tempérée, elles sont sorties en plein air ou sous ombrière pendant l'été. Les plantes de serre chaude sont conservées toute l'année sous vitrage.

Chaleur d'appoint pour la multiplication. — Une condition essentielle de bonne végétation des plantes étant une température ambiante suffisante, il est d'autant plus nécessaire de fournir au fragment séparé de sa souche les moyens non seulement de subsister mais encore de se régénérer par une bonne activité de ses tissus. Une chaleur d'appoint s'avère alors particulièrement utile : + 5 °C environ pour l'atmosphère et + 10 °C pour le sol (chaleur de fond), la différence de température entre le sol et l'atmosphère favorisant particulièrement la végétation des tissus devant émettre des racines.

Matériels utilisés. — Il existe de nombreux types de vitrages chauffés permettant la culture et la multiplication des végétaux délicats : les serres sont le plus souvent chauffées par un système de thermosiphon réglé par des vannes. Elles conservent plus ou moins facilement l'humidité et la chaleur suivant qu'elles sont plus ou moins enterrées dans le sol et d'un plus grand volume d'air. La chaudière est alimentée au charbon ou mieux au mazout qui permet un réglage facile.

Pour la multiplication, il est très utile de disposer de coffrages spéciaux disposés sur tablettes et couverts de petits châssis (de 1 m × 0,50 m) fermant hermétiquement et faciles à manipuler. La chaleur de fond peut être fournie par les tuyaux de chauffage enfermés sous la tablette par des volets mobiles.

Un procédé très commode consiste à disposer, dans les coffrages à multiplication, une résistance électrique chauffante constituée par des câbles ou grillages spéciaux. Un thermostat sonde, fiché dans le sol, permet de régler automatiquement la température au degré désiré.

Les serres permettent l'abri et la multiplication des espèces délicates à toute époque de l'année, en particulier pendant les mois d'hiver. Il est assez facile d'y régler les conditions de température, d'humidité, de lumière et d'aération.

A la fin de l'hiver, pourtant, une multiplication intensive rend les surfaces disponibles en serre insuffisantes; les plantes déjà multipliées sont alors transplantées en coffrages chauffés soit par une couche de matériaux fermentescibles soit par thermosiphon soit par l'électricité. De nouvelles séries de boutures peuvent également être menées à bien en ces conditions.

Les couches maintiennent une bonne humidité ambiante et dégagent du gaz carbonique utile aux plantes; elles présentent pourtant l'inconvénient d'être de température difficilement réglable, d'exiger un gros travail de confection et nécessitent des matériaux parfois difficiles à se procurer (fumier et feuilles).

Le chauffage par électricité est facile à installer et à régler. Lorsqu'il est possible d'utiliser le matériel de façon suffisamment intensive et de le faire fonctionner avec du courant de nuit son prix de revient est avantageux.

Boutures à multiplier avec chaleur d'appoint. — Une chaleur d'appoint est nécessaire pour la culture des espèces de serre pendant l'automne, l'hiver et une partie du printemps.

La multiplication sous vitrages chauffés peut également être pratiquée avantageusement pour de nombreuses espèces rustiques ou semi-rustiques, soit à cause des difficultés de régénération des plantes, soit en raison de la saison : ainsi, les boutures ligneuses feuillées d'arbustes verts qui peuvent être faites sous vitrages froids à la fin de l'été reprennent bien mieux en automne ou en hiver en serre à multiplication tempérée. Le bon enracinement obtenu dès le printemps permet ainsi d'obtenir des plantes déjà bien établies avant l'hiver suivant (Thuya, Juniperus). Ce procédé est particulièrement utile dans le cas d'espèces ne s'enracinant bien qu'avec du bois suffisamment mûr : coupé tôt elles trouveraient sous vitrage froid une température suffisante mais leur bois mal aoûté se régénérerait mal. Coupées tard, au contraire, c'est la température ambiante qui risquerait de faire défaut (Aucuba, Fusain).

Certaines boutures de rameaux ligneux à feuilles caduques ou de racines faites en serre pendant le courant de l'hiver peuvent commencer de s'enraciner avant la fin de la mauvaise saison et être transférées sous châssis froid puis en pleine terre au printemps suivant.

Beaucoup de plantes destinées à procurer des potées fleuries (Chrysanthèmes, Hortensias) ou des garnitures pour plates-bandes ornementales (Coleus, Ageratum, Pelargonium zonale) peuvent être multipliées intensivement en plein hiver après l'avoir été avec le seul secours de la chaleur naturelle au cours de l'été précédent.

Suivant les espèces, dont les unes craignent plus particulièrement le dessèchement (Ageratum) et d'autres la pourriture (Bégonia) il importe de tenir ces boutures plus ou moins humides et étouffées.

Les précautions utiles au bouturage (étouffement, ombrage, chaleur d'appoint) sont nécessaires également aux divisions de plantes délicates (Nephrolepis, Capillaire, Sansevieria, etc.). Ces divisions se font au début ou plus souvent à la fin de l'hiver.

En conditions analogues sont multipliées des plantes présentant des proliférations plus ou moins enracinées naturellement (Broméliacées, Asplenium viviparum, Pandanus, etc.).

Réglage de la lumière.

Besoins des végétaux. — La lumière est nécessaire à la nutrition carbonée des plantes à chlorophylle. Elle est naturellement fournie dans la nature, en même temps que la chaleur, par le rayonnement solaire. Les diverses espèces présentent des exigences de température différentes; les exigences de lumière varient également : espèces dites « de lumière » (Cactées, Sansevieria) ou d'ombre (Nephrolepis, Adiantum).

Jusqu'à un certain degré de température, la lumière assainit le milieu de vie du végétal, un milieu obscur et humide étant favorable au développement de nombreux cryptogames parasites. Dispensée en quantité suffisante et en bonnes conditions d'humidité ambiante elle active la végétation en favorisant l'assimilation chlorophyllienne.

Une insolation trop intense par contre, est nuisible à la végétation par dessèchement, par brûlures ou par destruction trop rapide des auxines de la plante.

L'ombrage. — Lors de la culture sous verre il est particulièrement nécessaire de veiller au dosage de l'insolation.

C'est ainsi qu'en été les espèces de serre chaude sont maintenues habituellement ombrées alors qu'en hiver les vitrages sont découverts afin de laisser pénétrer le maximum de lumière. Au printemps, une surveillance attentive est nécessaire, en raison d'une insolation particulièrement variable et de la fragilité des jeunes plantes cultivées : il est très utile de disposer alors d'un matériel mobile d'ombrage (claies le plus souvent) parfois combiné avec un blanchiment permanent des vitrages.

Pour le bouturage, l'ombrage est particulièrement nécessaire car, s'il convient de maintenir une certaine activité végétative, l'évaporation est à réduire au minimum et les auxines naturelles à utiliser au mieux. Les coffrages à multiplication sont ombrés à l'intérieur même des serres, par des toiles ou des feuilles de papier.

Utilisation de lumière artificielle. — Les plantes cultivées et multipliées sous verre peuvent avoir à souffrir d'un excès de lumière à certaines époques de l'année. En d'autres périodes la lumière fait défaut et les végétaux languissent, s'étiolent et sont attaqués plus facilement par les maladies.

L'éclairage artificiel peut permettre de remédier au défaut d'insolation, en particulier pour les espèces multipliées, cultivées ou forcées sous verre pendant l'hiver.

Cette lumière d'appoint ne peut pourtant pas être utilisée sans discernement : elle influe en effet à la fois par la quantité totale dispensée, son intensité, sa périodicité et sa qualité.

La durée d'éclairement des jours alternant avec les temps d'obscurité des nuits influe de façon notable sur le comportement de très nombreuses plantes, en modifiant les modalités de leur développement végétatif et sexuel (photo-périodisme).

La qualité de la lumière dispensée présente, également, une grande importance. Le spectre lumineux comprend différentes zones de rayonnement allant de l'infrarouge à l'ultraviolet.

Les lampes à incandescence produisent surtout des rayons de type rouge et orangé, en fournissant un apport sensible de chaleur. Les ampoules à vapeurs de mercure fournissent principalement des radiations bleues et violettes.

De bons résultats ont été obtenus en culture avec un éclairage mixte (ampoules spéciales à vapeurs de mercure et à filament incandescent) placées à 1 m environ au-dessus du feuillage, à raison de 50 à 150 W environ au mètre carré de façon à obtenir une durée totale d'éclairage de dix-huit heures par jour (temps d'éclairage naturel et artificiel additionnés).

L'éclairage par tubes fluorescents a également produit des effets satisfaisants en particulier avec le type dit « lumière du jour de luxe ».

Dans le cas précis de la multiplication végétative l'éclairage artificiel peut être très utile en permettant de mettre en végétation des plantes mères tôt en saison. Grâce à cette lumière d'appoint il est possible de prélever en temps utile des boutures saines et vigoureuses.

D'après STOUMEYER et CLOSE, l'enracinement ultérieur des boutures serait favorisé par exposition des plantes mères à une lumière bleue et rouge ou par leur éclairage avec des ampoules d'un type spécial dites « *sunlamp* (lampe soleil) ». Une lumière rouge ou blanche serait également favorable à l'enracinement lors du bouturage lui-même.

Lors de l'utilisation de lumière d'appoint il convient d'expérimenter rationnellement afin de trouver un optimum convenable variable suivant les cas : selon les plantes (espèces d'ombre ou de lumière), l'opération réalisée (multiplication, culture ou forçage), en rapport avec les autres conditions de milieu (humidité et température en particulier).

Contrôle de l'humidité.

Transpiration et soins à apporter aux végétaux cultivés. — Les plantes rejettent sous forme de vapeur d'eau, par les stomates des feuilles, une partie de l'eau puisée par les racines. Une température élevée, une ambiance très lumineuse et une atmosphère sèche provoquent une transpiration intense. Un phénomène inverse peut se produire en milieu saturé d'humidité : une plante légèrement flétrie peut absorber par les stomates des feuilles la vapeur d'eau atmosphérique nécessaire à la turgescence de ses cellules.

Pour des végétaux normalement cultivés en plein air ou sous vitrage la lutte contre le dessèchement doit être beaucoup plus intense en milieu insolé, chauffé et aéré qu'en atmosphère humide, sombre et froide.

L'eau est fournie aux racines par les arrosages et l'humidité des feuilles et de l'atmosphère maintenue par des bassinages.

Sous vitrages les bassinages sont fréquents l'été et nuls l'hiver; en périodes transitoires (printemps et automne) il est préférable de mouiller les sentiers plutôt que le feuillage afin de maintenir une atmosphère humide sans laisser stagner de gouttes d'eau sur les feuilles.

En plein air également certaines précautions sont à observer inutiles en hiver les arrosages sont à effectuer au printemps, le matin de belles journées afin de permettre le ressui du feuillage et un réchauffement rapide. En été, par contre, l'arrosage du soir sature et rafraîchit l'atmosphère tout en permettant à la plante d'absorber un maximum d'eau utile.

Les exigences des diverses espèces sont à respecter : certaines ne doivent pas « sécher » (telles de nombreuses fougères). D'autres, au contraire ne sont à arroser que très parcimonieusement en période de végétation ralentie (plantes grasses).

Soins particulier à dispenser lors de la multiplication végétative. — Les végétaux multipliés par fragmentation se trouvent privés d'une partie ou de la totalité de leurs racines. En règle générale ils ne peuvent, en conséquence, compenser que très difficilement la perte d'eau causée par la transpiration : les espèces à tiges ou feuilles charnues (Cactées, Pélargonium) résistant beaucoup mieux que les autres.

Afin d'éviter le dessèchement, les boutures repiquées en plein air sont arrosées régulièrement, binées ou paillées (boutures ligneuses défeuillées). La plantation dans un endroit frais ou sous ombrières s'impose pour la plupart des boutures ligneuses ou demi-ligneuses feuillées. Les boutures feuillées herbacées ou demi-herbacées des espèces non grasses sont le plus souvent à maintenir sous vitrage ombré et étanche jusqu'à la reprise.

Des soins particuliers sont à observer lors de la multiplication sous vitrage avec chaleur d'appoint. En serre bien fermée, et dont l'atmosphère peut être maintenue facilement humide, il est possible parfois de bouturer sur les tablettes de culture sans abri particulier. Plus fréquemment il est nécessaire d'avoir recours à des cloches pour les petites séries et à des châssis, fermant hermétiquement les coffrages à multiplication, pour des lots plus importants.

Cette précaution est particulièrement nécessaire pour les serres où sont pratiquées, simultanément, culture et multiplication et où il faut parfois aérer. Protégeant les boutures de l'air pendant les belles journées ces châssis peuvent, également, constituer une protection contre la chute des gouttes de condensation tombant du vitrage de la serre pendant les périodes froides.

Le multiplicateur doit veiller, à la fois, à empêcher la fanaison des boutures et leur pourriture. Pour atteindre cet objectif il est bon d'arroser les boutures avec une pomme fine (en utilisant, de préférence, de l'eau de pluie maintenue à la température de la serre) de façon à mouiller convenablement le compost de bouturage en même temps que les feuilles; laisser, ensuite, le coffrage ouvert afin de faciliter le ressui du feuillage; fermer, enfin, hermétiquement le châssis avant que ne fanent les boutures, ombrer au besoin.

Des gouttes de condensation se forment par la suite à la face intérieure du vitrage à multiplication. Pour les boutures délicates, une ou deux fois par jour, ôter le châssis et le laisser égoutter en le plaçant verticalement au bord du sentier. Profiter de cette opération pour surveiller le comportement des boutures; les arroser, les nettoyer ou les laisser ressuyer plus soigneusement suivant les besoins.

En fonction des conditions atmosphériques l'intensité des arrosages et de l'aération est à doser soigneusement : en plein hiver, surtout par temps de

Fig. 11. — Couche thermogène, coffrages et châssis vitrés traditionnels.

Fig. 12. — Serre à multiplication avec bâche et châssis pour bouturage.

Fig. 13. — Installation pour pulvérisations sur boutures de reprise difficile.

Fig. 14. — Bouturage avec éclairage d'appoint.

PLANCHE III : **MODIFICATION DES CONDITIONS DE MILIEU**

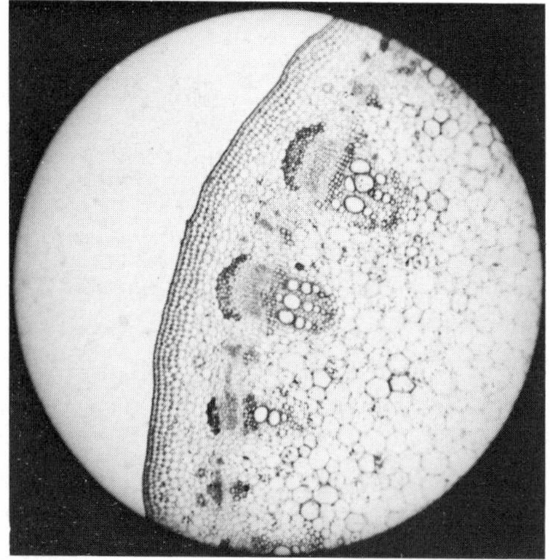

← FIG. 15. — Coupe transversale de bouture de tige de Dahlia nain (× 225).

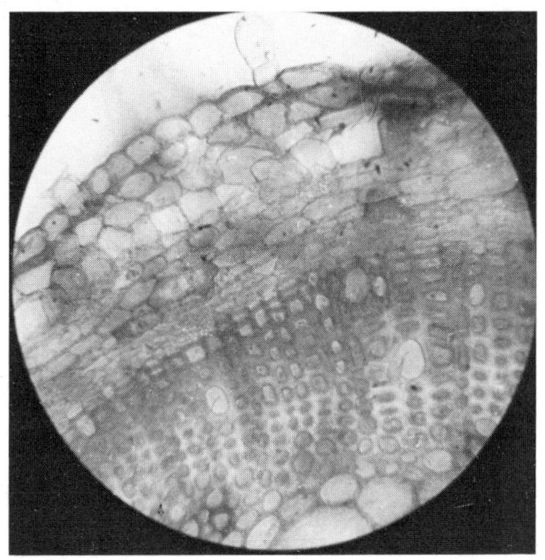

FIG. 16. — Coupe de tige de *Lantana Sellowiana* → (× 675).

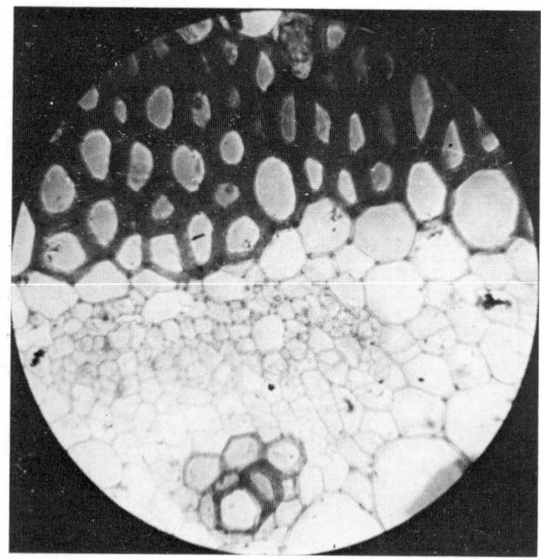

← FIG. 17. — *Pelargonium zonale* : épaisse ceinture de sclérenchyme et jeunes cellules en voie de division active (× 675).

PLANCHE IV : **STRUCTURES DE TIGES**

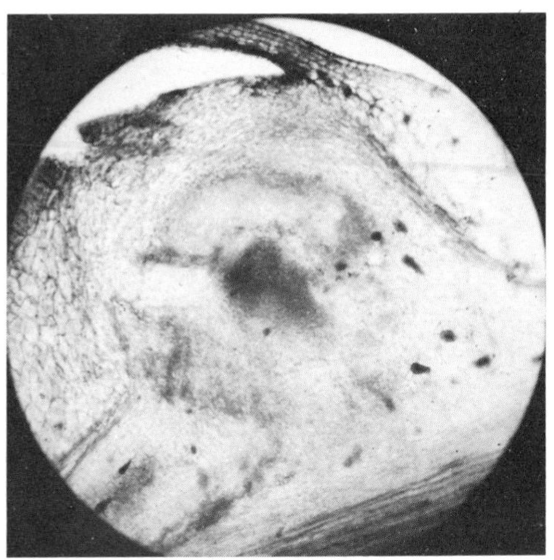

Fig. 18. — Jeune racine émise à l'aisselle d'une feuille d'œillet (× 225).

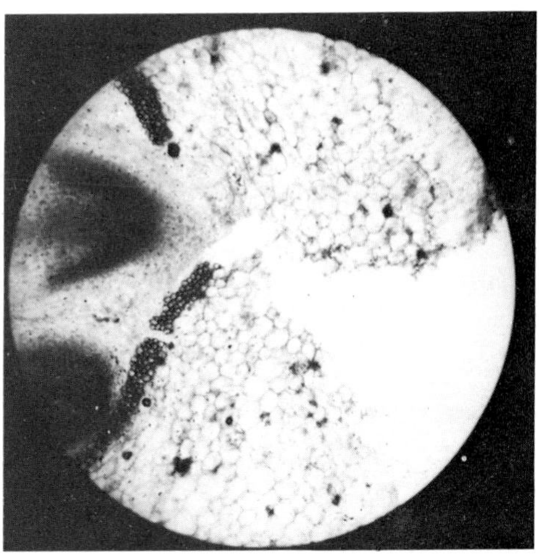

Fig. 19. — *Pelargonium zonale* : éclatement des tissus sous la poussée des racines (traitement avec hormones : enracinement plus abondant, mais plus forte proportion de pourriture) (× 225).

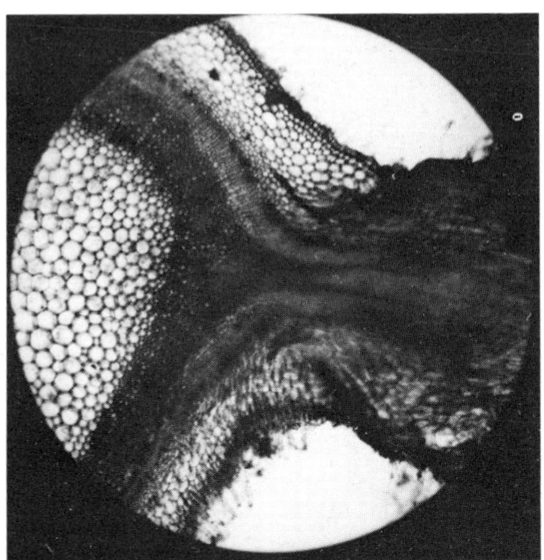

Fig. 20. — Émission normale de racine sur *Calceolaria rugosa* (× 225).

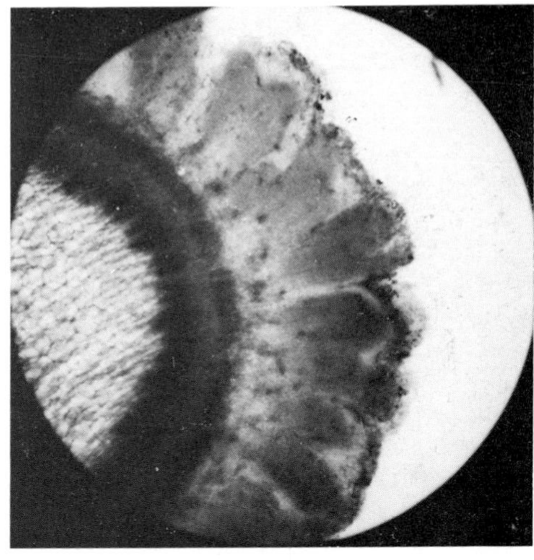

Fig. 21. — Après traitement aux auxines avec concentration trop forte : émission de racines très nombreuses mais atrophiées, sur *Calceolaria rugosa* (× 225).

PLANCHE V : **ÉMISSION DE RACINES SUR BOUTURES DE TIGES**

neige il convient de se défier soigneusement des risques de pourriture résultant d'arrosages intempestifs et d'une atmosphère trop confinée, pendant les journées ensoleillées de printemps et d'été par contre les boutures fanant facilement sont à maintenir mieux ombrées et en atmosphère plus humide.

Procédés divers et utilisation de films plastiques. — De nombreux procédés ont été expérimentés dans le but d'aider la bouture à économiser ses réserves aqueuses.

C'est ainsi qu'en laboratoire le bouturage est souvent effectué en boîtes de Pétri et sur coton humide.

D'excellents résultats ont été obtenus par l'emploi de films de matières plastiques utilisés selon diverses modalités.

C'est ainsi que le polyéthylène et, plus récemment, le rilsan ont donné de bons résultats pour le remplacement du verre à vitres. Tous deux laissent passer convenablement l'essentiel des rayons lumineux utiles.

En plein air il est utile de les disposer pendant la saison froide selon une double épaisseur avec une couche d'air interposée afin de réduire les pertes de chaleur par rayonnement nocturne. Leur manipulation est facile car ces films sont légers. Le polyéthylène a, jusqu'ici, été le plus utilisé bien que se ternissant rapidement au soleil. Il présente, en effet, de sérieux avantages pour la multiplication végétative : en particulier celui d'être perméable aux gaz et imperméable à la vapeur d'eau. D'autres plastiques possèdent des propriétés différentes, tel le chlorure de polyvinyle perméable à la vapeur d'eau, imperméable aux gaz.

En raison de ses qualités le polyéthylène a pu être utilisé avec succès pour clore hermétiquement des coffrages à multiplication : ainsi les boutures ont pu opérer leurs échanges gazeux sans perte d'eau sensible, avec un seul arrosage par mois.

Des boutures ont même repris simplement empaquetées dans un manchon plastique. Ce même procédé permet la conservation et le transport faciles des boutures enracinées ou non ainsi que des jeunes plants.

Autrefois se pratiquait le marcottage aérien, sur les espèces rares à tiges raides. Ce procédé consistait à garnir la tige, à l'endroit d'émission des racines, avec un tampon de sphagnum ficelé, un pot fendu ou un cornet de plomb garni de terre. Les soins d'arrosages devaient être très suivis. Actuellement un manchon de polyéthylène entourant le tampon de sphagnum humide et serré autour de la tige par ses deux extrémités permet de retrouver les avantages du marcottage aérien, sans ses inconvénients.

Dans le cas de marcottage en plein air il est prudent de protéger du bec des oiseaux le manchon de plastique par une seconde enveloppe de papier fort ou de grosse toile.

Bouturage en pleine lumière avec pulvérisations fréquentes. — Pour atténuer la transpiration et éviter les brûlures causées par les rayons lumineux il est nécessaire lors de la multiplication sous vitrage et même parfois en plein, air lorsque l'insolation est trop intense, d'utiliser des écrans produisant de l'ombre : ce procédé permet d'économiser les auxines naturelles et surtout d'éviter les brûlures et le dessèchement; il présente également l'inconvénient de réduire sensiblement l'activité du feuillage, en particulier sa nutrition carbonée. Ceci est particulièrement vrai lorsque sont traitées des plantes de grande lumière (Eucalyptus).

C'est afin d'améliorer la technique en ce sens qu'à déjà été expérimenté de longue date le bouturage en plein soleil avec de très fréquents bassinages. L'inconvénient de cette méthode résultait de ce qu'il fallait presque constamment surveiller les boutures traitées.

Afin de diminuer, au maximum, la surveillance à apporter aux boutures tout en conservant les avantages de la multiplication en pleine lumière ont été essayés divers procédés de pulvérisation automatique.

Sur certains appareils expérimentés (analogues en leur principe au matériel utilisé pour les traitements chimiques par pulvérisation) la pression est maintenue aux environs de 5 kg/cm^2. Un système de tuyauterie pourvu de becs de pulvérisation (deux par mètre carré environ de surface cultivée) permet d'entretenir une brumisation régulière de l'atmosphère sur toute la surface de la serre pour un débit journalier de 10 l au mètre carré par journée de dix heures de fonctionnement. La pulvérisation s'opère parfois avec des pressions de l'ordre de 30 kg au centimètre carré et avec insufflation d'air comprimé.

La pulvérisation continue a donné de bons résultats pour de nombreuses espèces de reprise normalement rapide (Chrysanthèmes) et même pour certaines plantes d'enracinement difficile (Magnolia).

Une pulvérisation intermittente est pourtant préférable en particulier sur les végétaux de reprise lente : un lessivage continu du feuillage contribuant à refroidir le milieu ambiant et à appauvrir les boutures en éléments nutritifs, en particulier en potasse.

Il est indiqué d'interrompre complètement la brumisation pendant la nuit lorsque l'humidité ambiante est suffisante pour empêcher le flétrissement des boutures.

Divers procédés peuvent permettre d'assurer une pulvérisation intermittente :

Un système de minuterie peut déclencher puis interrompre automatiquement le fonctionnement des jets 1 mn toutes les 10 mn par exemple (cette cadence pouvant être modifiée suivant les conditions atmosphériques et les espèces multipliées). Il convient alors d'évaluer le plus justement possible le débit à obtenir.

Afin d'assurer un dosage de pulvérisation plus nuancé un appareillage dit « feuille électronique » a été expérimenté également, constitué par une bande de matière plastique disposée parmi les plantes multipliées et commandant un système de relais. Lorsqu'une mince pellicule d'eau recouvre cet appareil, la pulvérisation est automatiquement interrompue pour reprendre lorsque l'eau s'est évaporée.

D'autres systèmes réagissent au rayonnement solaire.

L'utilisation du matériel de brumisation peut se faire en diverses conditions de milieu : en plein air, en bâches ou en serres. Il est nécessaire, en tous cas, de tenir compte des diverses exigences des plantes multipliées et du climat de l'endroit.

Un substratum suffisamment poreux est à utiliser, en particulier pour les systèmes à pulvérisation continue. Un mélange de sable et de tourbe criblés grossièrement ou des vermiculites ont donné de bons résultats. L'évacuation de l'eau en excès est à assurer par un sérieux drainage.

Sols propices au bouturage.

Le milieu aérien n'est pas le seul à influer sur l'enracinement des boutures. La portion de végétal où se développe le système radiculaire doit également se trouver placée en conditions favorables.

Une température légèrement plus élevée dans le sol favorise l'enracinement en accroissant l'activité des tissus qui s'y trouvent plongés; la qualité du substratum importe également : celui-ci doit être suffisamment aéré et humide : un sol trop compact (soit par finesse de granulation, soit par saturation excessive d'eau) ne laisse que difficilement pénétrer l'air dont ont besoin les tissus pour exercer leur activité; trop lacuneux il laisse facilement circuler l'air mais se dessèche rapidement.

Pour le bouturage sous vitrage froid ou en plein air il est habituel de repiquer en bonne terre de jardin. Il est alors nécessaire d'alléger les sols trop lourds par apport de sable. Le terreau de couches n'est à employer qu'avec prudence car il est facilement porteur de germes favorisant la pourriture. Il peut, en certains cas, s'avérer très utile pour donner de la vigueur à de jeunes plantes qui puisent, dès leur début d'enracinement, les substances nutritives nécessaires à leur croissance (Chrysanthèmes).

Les espèces exigeant des terres spéciales (terre de bruyère, par exemple ou substrats analogues : humifères, acides et poreux) peuvent être multipliées également dans leur substrat de culture modifié par adjonction d'autres matériaux (sable, sciure) pourvu qu'il présente les qualités requises pour le bouturage. Éviter de bouturer une espèce dans un milieu ne lui convenant pas (sable calcaire pour espèces calcifuges, sols acides pour espèces calcicoles).

Les végétaux multipliés en serre le sont le plus souvent dans du sable de rivière passé au tamis de 2 mm. Le sable de Loire donne de meilleurs résultats en serre. Il est souvent avantageux d'ajouter au sable utilisé une proportion de tourbe variant de un tiers à deux tiers. La tourbe est favorable à l'enracinement car elle retient bien l'eau et l'air à la fois par sa structure spongieuse. Il semble également qu'elles contiennent certaines auxines. Pourtant ses facultés de rétention de l'humidité peut la faire déconseiller pour le bouturage des plantes pourrissant facilement, en particulier en dehors des saisons chaudes et sèches. De nombreux autres matériaux peuvent être employés avec plus ou moins de bonheur suivant les espèces pour le bouturage (fin mâchefer, sciure, etc.).

Les vermiculites d'un diamètre convenable (2 ou 3 mm) peuvent parfois être utilisées avec succès.

Pour la multiplication de plantes de serre de valeur (Broméliacées, Orchidées) d'excellents résultats ont été obtenus depuis longtemps avec le sphagnum (mousse aquatique).

Suivant les substrats utilisés (plus ou moins compacts et retenant plus ou moins d'eau) il y a lieu de faire varier quelque peu la profondeur de repiquage, la force du bornage et l'intensité des arrosages.

En été, le sol choisi doit également conserver sa fraîcheur alors qu'en hiver il est nécessaire qu'il ressuie facilement.

Le bouturage dans l'eau peut être réalisé avec certaines plantes (Laurier-rose, Cyperus) ce qui évite une surveillance assidue des arrosages et des bassinages, pourtant les racines obtenues par ce procédé sont souvent fragiles et se brisent facilement au rempotage.

De plus le milieu aqueux est mal aéré ce qui n'est pas favorable à un développement rapide des racines pour la plupart des espèces.

Dans le cas de plantes à racines fragiles ou afin de faciliter les manipulations le bouturage se fait parfois à raison d'une bouture par petit godet ou de plusieurs disposées sur le pourtour de la motte. Le remplissage et le tassement des godets doit alors être très régulier et les arrosages sont alors à surveiller ensuite de façon particulièrement soignée.

BIBLIOGRAPHIE

Utilisation du matériel vitré :

La Revue Horticole, n° 2 215, janvier-février 1957.

Éclairage et chauffage électriques :

Chaumier (P.) : *L'éclairage artificiel en horticulture; Le chauffage électrique du sol en horticulture*, 1956.

Stoumeyer (V. T.) and Close (A. W.) : Changes of rooting responses in cutting following exposure of the stock plants to light of different qualities, *Proc. Amer. Soc. Hort. Sci. for* 1947, 49, 372, 4.

— Plant propagation under fluorescent lamps, *Bur. Plant Industry, Soils and Agricultural Engineering*, U.S.D.A., 1946.

Plastiques :

Soyeur (J.) : Les plastiques dans l'agriculture, *Industrie des plastiques modernes*, 1957, vol. 9, n° 12; 1958, vol. 10, n°s 1, 2, 3.

Buclon (F.) : Les plastiques en horticulture, *Revue horticole*, 1958, n° 2 224, pp. 1860-1861.

Coggeshall (R. G.) : With rhododendron more about plastics in propagation, *Amer nurserym*, 1954, 100 (10), 8-9, 56-7.

Sweet (D. V.) : Use of polyethylene film in the propagation and culture of certain horticultural plant, *Quart. Bull. Mich. agric. Exp. Stat.*, 1952, 35, 265, 8.

Van der Brook (C.) : The storage of rooted cuttings, *Amer nurserym*, 1956, 103 (*a*), 10, 76-7.

Brumisation :

Bossard (R.) : Une technique nouvelle pour le bouturage des plantes ornementales, *Bull. tech. d'inf. des Ing. des Serv. Agric.*, 1956, n° 107, pp. 91-93.

Wells (J. S.) : *Plant Propagation practices*, 1958.

Sharpe (R. H.) : Mist propagation studies with emphasis on mineral content of foliage, *Proc. Fla St. hort. Soc.*, 1955-1956, 68 : 345, 7.

Hoare (E. R.) : How the electronic leaf works, *Grower*, 1956, 46 : 99-101.

Bossard (R.) : Quelques aspects des cultures florales de l'Est des États-Unis, *Rev. Hort.*, janvier-février 1959, n° 2 227, pp. 1972-1979.

Substrats :

Chadwick (L. C.) : The effect of certain mediums and watering methods on the rooting of cuttings of some deciduous and evergreen plants, *Proc. Amer. Soc. Hort. Sci.*, 1949, 53 : 555-66, Bibl. 3.

CHAPITRE IV

AMÉLIORATION DES CONDITIONS DE BOUTURAGE PAR ACTION DIRECTE SUR LE VÉGÉTAL

Les plantes mères.

Sélection. — La multiplication végétative permettant de propager les plantes par fragmentation d'organes transmet fidèlement aux nouveaux sujets obtenus les caractéristiques de la plante mère : qualités et défauts.

Dans un même clone des variations peuvent être observées. Celles-ci proviennent parfois de mutations brutales donnant naissance à des « sports » intéressants à fixer ou devant être éliminés.

Plus fréquemment les changements observables proviennent d'une dégradation progressive des caractères intéressants, d'une « dégénérescence » causée fréquemment par des viroses.

Il importe donc d'effectuer un choix parmi les plantes présentant le plus parfaitement possible le type de la variété à multiplier.

Conditions culturales. — L'état végétatif des plantes mères présente également un intérêt primordial : des sujets vigoureux et sains sont aptes à fournir des fragments nombreux subsistant et se régénérant plus facilement.

Les conditions de végétation dépendent pour beaucoup des conditions de milieu (sol et atmosphère) à équilibrer en fonction de l'espèce : des carences ou excès provoquent des désordres plus ou moins immédiatement visibles : rabougrissement, durcissement ou déformation des plantes. Il n'est donc pas indiqué d'utiliser, pour la multiplication, des végétaux ayant souffert ou des plantes « poussées » aux engrais.

Il importe, en conséquence, de prévoir à l'avance une certaine quantité de plants destinés à la multiplication et de les cultiver convenablement à cette fin.

Dans le cas de boutures de rameaux des tailles et pincements préalables permettent d'obtenir des ramifications multiples aux tissus jeunes. Pour le marcottage par couchage ou par cépée une forme basse aux rameaux de bon développement permet une mise en contact facile avec le sol.

Pour les espèces délicates ou devant être produites suffisamment tôt en saison (plantes molles) la protection sous abris (caves ou serres) est à envisager à la fin de l'été, ainsi qu'une mise en végétation des souches au moment opportun.

De jeunes sujets, récemment multipliés, peuvent fréquemment procurer de nouvelles boutures par pincement de leurs extrémités.

De même les boutures enracinées d'arbustes ligneux permettent parfois d'obtenir, lors de la transplantation hivernale, des rameaux ou des racines pour une nouvelle série de multiplication.

Choix et préparation des fragments.

État des tissus végétaux. — Seuls les tissus vivants sont capables de proliférer et les racines nouvelles sont émises normalement des tissus du cambium directement ou après formation d'un cal.

Les bourgeons proviennent souvent sur feuilles des tissus de l'épiderme, parfois aussi du cambium (bourgeonnement sur racines en particulier). Les tissus morts, telles les fibres ligneuses ou le liège ne peuvent produire d'organes nouveaux.

Suivant les espèces d'enracinement ou le bourgeonnement est plus ou moins facile : les feuilles de Céleri, ou de Chrysanthème, par exemple, peuvent s'enraciner mais ne bourgeonnent pas.

L'âge biologique du fragment influe différemment sur la reprise suivant les espèces : le Laurier-cerise reprend bien mieux coupé sur bois aoûté; les boutures faites avec de jeunes pousses bien tendres de Chrysanthèmes s'enracinent rapidement et fortement, prélevées durcies elles n'émettent que péniblement de rares racines; les rameaux d'Œillets déjà forts et durcis reprennent normalement mieux que les pousses jeunes et tendres.

Force et longueur de la bouture. — Ce ne sont ordinairement ni les boutures les plus fortes ni les plus malingres qui donnent les meilleurs résultats, les extrêmes fournissant des tissus hypertrophiés ou carencés.

Quant à la longueur la meilleure, elle dépend pour les boutures d'extrémités de rameaux, de plusieurs conditions : les espèces reprennant mieux sur bois bien mûr gagnent à être coupées plus longues (20 à 30 cm), les extrémités apicales n'étant pas toujours bien lignifiées; de plus, lorsqu'elles peuvent reprendre, les boutures longues donnent plus rapidement des sujets forts. Les espèces s'enracinant mieux sur tiges jeunes gagnent par contre à être prélevées assez courtes (5 à 10 cm).

Dans le cas d'une multiplication sous vitrage chauffé où la surface est précieuse, les petites boutures tiennent moins de place. L'économie de matériel végétal est à envisager également lorsque les rameaux sont à prélever sur des plantes mères rares ou fragiles.

Emplacement d'origine sur la plante. — En de nombreux cas l'emplacement sur la plante du fragment prélevé n'influe guère sur son comportement ultérieur. Il importe pourtant d'en tenir compte en certaines circonstances : les rameaux latéraux fournissent parfois des plantes dissimétriques et étalées. C'est pourquoi les boutures d'Araucaria excelsa sont toujours prélevées sur les flèches de plantes mères conservées pour cet usage.

Le mode de coupe (bouturage de rameaux). — La séparation du fragment végétal s'opère par éclatement ou sectionnement au moyen d'un instrument tranchant. Il est ordinairement préférable de pratiquer une coupe bien nette sous un nœud avec un instrument bien affilé de façon que la plaie se trouve disposée horizontalement lors du repiquage : la cicatrisation et l'enracinement s'opèrent ainsi de façon bien régulière sur toute la partie du cambium mise à nu.

En bien des cas pourtant il est préférable d'opérer autrement :

Pour des espèces perçant facilement leurs racines dans l'entre-nœud il peut y avoir intérêt à ne pas se soucier de l'endroit exact de coupe par économie de temps et pour obtenir des boutures de longueur uniforme (arbustes de reprise facile). Il est également possible d'économiser de cette façon du matériel végétal et de limiter l'habillage de la bouture au strict minimum (boutures de tête obtenues du pincement de plantes molles).

Les boutures « à talon » donnent souvent d'excellents résultats, elles sont obtenues en prélevant, avec le rameau bouturé, une portion de la tige ou de la souche dont il est issu.

Ce procédé est valable pour des espèces ligneuses (Cognassier, Vigne), herbacées ou demi-herbacées (Dahlias, Cordyline).

Le talon est prélevé avec l'aide d'un instrument tranchant (serpette pour tiges fortes et dures, pointe du greffoir pour tiges tendres). Pour l'Œillet de Nice, il suffit d'écaler les pousses axillaires portées par la tige florale sans retoucher la blessure.

La propension naturelle de nombreuses espèces à former des racines aux empattements des tiges peut s'observer sur des végétaux très divers : certains Pommiers (variété La Galleuse) plantes mères de Pélargonium hivernées, etc. Aux empattements, les vaisseaux contournés ou étranglés provoquent l'accumulation des substances élaborées favorables à l'émission des racines.

Habillage des boutures et cicatrisation des plaies. — L'habillage des boutures feuillées consiste à supprimer les organes foliacés en excès ou à les amputer partiellement afin de réduire la surface évaporante et l'encombrement dans les coffrages à multiplication.

Cet habillage doit être opéré avec discernement : pratiqué avec excès il entrave l'activité nécessaire du feuillage et augmente les risques de pourriture par multiplication des plaies.

Diverses espèces pourrissant facilement sont à laisser cicatriser avant le repiquage : quelques heures (Pélargonium) ou quelques jours (Cactées).

Pour les plantes à latex (Ficus, Poinsettia) éviter de sectionner le limbe des feuilles et arrêter l'écoulement gommeux des tiges par trempage des boutures dans l'eau tiède.

Boutures simplifiées ou compliquées.

Boutures d'yeux. — Pour économiser au maximum le matériel végétal la bouture de rameau peut être réduite à sa plus simple expression par conservation d'un œil pourvu d'une portion de bois.

Cet œil peut être celui d'un rameau ligneux défeuillé (Vigne) celui d'une tige herbacée pourvue d'une feuille (Dahlia) ou celui d'une tige déjà lignifiée et feuillée (Azalée de l'Inde).

Dans le cas d'yeux alternés, la fraction de rameau peut être conservée selon tout son diamètre; pour des rameaux à feuilles opposées la tige est souvent fendue longitudinalement.

Ces boutures ne renfermant que peu de réserves sont à assister plus particulièrement par le maintien des conditions de milieu favorables (chaleur d'appoint, surveillance attentive de l'humidité ambiante, ombrage soigné).

Feuilles et fragments de feuilles. — Certaines gesnériacées, en particulier (Gloxinia, Saintpaulia, etc.) reprennent facilement de boutures de feuilles dont le pétiole sectionné est enfoncé en terre, ce limbe est conservé intact et dressé hors de terre pour réduire les risques de pourriture. Les Bégonias Gloire de Lorraine sont bouturés également de cette manière.

Les feuilles de Bégonia Rex conservées entières sont repiquées le limbe étalé sur la bâche à multiplication. Des incisions pratiquées sous les grosses nervures facilitent l'émission de racines et de bourgeons aux endroits blessés. Les feuilles bien développées, aux tissus mûrs reprennent mieux. La fragmentation des feuilles en conservant un morceau de limbe de 2 à 4 cm^2 autour d'une bifurcation de nervure permet de multiplier un plus grand nombre de sujets sur une surface restreinte avec un matériel végétal moindre.

Greffes-boutures. — La greffe-bouture est maintenant couramment employée pour la multiplication de la Vigne et permet d'associer les avantages des procédés de greffage et de bouturage.

Cette opération est effectuée pendant l'hiver comme les boutures de rameaux ligneux défeuillés, greffon et sujet étant associés par une greffe anglaise.

L'Azalée de l'Inde est normalement greffée sur boutures enracinées. En coupant la tête du sujet pourvu de son greffon il est possible d'obtenir une greffe-bouture pour ensuite greffer à nouveau la jeune plante étêtée.

Le greffage sur racine est parfois employé comme auxiliaire d'enracinement d'espèces de reprise difficile : l'opération est réalisée sur table pendant l'hiver. Les jeunes greffes sont ensuite plantées en coffrages froids puis garnies progressivement de terre mêlée de tourbe de façon à ce que la greffe soit finalement recouverte de 10 cm de compost. La racine mère permet ainsi au greffon de se nourrir jusqu'au moment de l'affranchissement.

Fragments divers. — Dans un but d'utilisation complète de matériel végétal rare ou d'expérimentation à des fins d'études des bouturages de fragments très divers peuvent être réalisés.

Hypocotyles de plantules brisées, hampes florales, entre-nœuds de tiges, pseudobulbes d'Orchidées, écailles de souches de Fougères ou Cycadacées, etc.

Les capacités d'enracinement ou de bourgeonnement varient beaucoup suivant les espèces.

Traitements physiques favorables à l'enracinement ou au bourgeonnement.

Les bourgeons se développent préférentiellement aux extrémités supérieures des rameaux et d'autant plus vigoureusement que l'afflux de sève brute est plus important. Les yeux de base des rameaux restent souvent latents leur croissance se trouvant inhibée par l'accumulation des auxines élaborées par les méristèmes apicaux.

La différenciation des tissus en racines se trouve par contre favorisée par l'accumulation d'auxines.

Toute opération tendant à contrarier les courants de sève concourt, en conséquence, à modifier l'évolution des bourgeons et des racines déjà ébauchés ou des tissus encore non différenciés.

Tailles, entailles et procédés similaires. — La taille d'un rameau sur un œil favorise le développement de celui-ci par concentration de sève brute à cet endroit et suppression des sources supérieures d'auxines inhibitrices de croissance. Une entaille transversale pratiquée au-dessus de l'œil produit un effet semblable mais plus localisé.

Une simple incision, plus rapidement cicatrisée, exerce une action plus éphémère.

Suivant les espèces, le rabattage sur des rameaux plus âgés est plus ou moins efficace, les yeux latents pouvant vivre plusieurs années (arbres fruitiers à pépins) ou s'annuler rapidement (arbres fruitiers à noyau).

Certaines essences, rabattues sur vieux bois, en plein essor printanier de sève sont capables de produire avec abondance des bourgeons adventifs sur le cambium de la plaie (Platane, Hibiscus).

Sur racines sectionnées à leur partie supérieure le cambium peut proliférer également et produire des bourgeons.

Sur racines sectionnées à la base, un bourrelet se forme par prolifération du cambium et de nouvelles radicelles percent souvent sur le bourrelet lui-même. Si la coupe est effectuée horizontalement l'enracinement se répartit régulièrement tout autour de la plaie; sur une section en biseau les racines sont émises en particulier au point le plus bas.

Par sectionnement partiel ou total d'un rameau le même phénomène se produit : accumulation d'auxines à la base provoquant la prolifération du cambium en bourrelet ou en cal.

Le sectionnement total du rameau ou de la racine produit une bouture. Dans le cas de plantes de reprise difficile il peut être utile d'aider à la formation d'un bourrelet par une décortication annulaire préalable. Le bouturage étant effectué ultérieurement (Pin maritime : méthode David). Cette décortication peut accompagner également un marcottage aérien.

Lors du marcottage par couchage une entaille effectuée de bas en haut en partant d'un œil ou d'un empattement peut être également pratiquée. Il est parfois indiqué d'opérer l'entaille au-dessous de la tige (œillets de reprise difficile) ou plus souvent au-dessus (arbustes dont les rameaux risqueraient de se briser).

Les entailles effectuées longitudinalement à la base de la bouture par suppression d'un lambeau d'écorce ou en fendant la tige peuvent aider également à la reprise en particulier par dégagement du cambium.

Les tailles ou entailles importantes effectuées au moment du bouturage ou du marcottage ne sont pas favorables aux espèces pourrissant facilement car elles accroissent les risques d'infection par multiplication des plaies.

Lors du marcottage par couchage de rameaux encore jeunes la flexion peut souvent s'opérer avantageusement avec torsion ou demi-torsion, celle-ci facilitant l'opération et favorisant l'émission de racines à l'endroit blessé.

Modification de la position de l'organe. — Le sectionnement total ou partiel de la tige ou de la racine arrête brutalement le passage du courant de sève. La modification de la position de l'organe contrarie cette circulation : un rameau arqué voit le bourgeonnement favorisé à sa partie supérieure au détriment de son extrémité et surtout de sa face inférieure; une tige couchée en terre émet des racines à la partie la plus basse de la courbe.

Les plantes réagissent assez différemment aux diverses modifications de position qui leur sont imposées : une tige bouturée horizontalement développe normalement plus facilement des bourgeons à son extrémité apicale et des racines à son extrémité proximale.

La nature présente pourtant des exemples fréquents d'enracinement par l'extrémité des tiges (ronces). La vigne peut être marcottée « en archet » en enterrant seulement l'extrémité du sarment et en ébourgeonnant la partie aérienne.

Dans le bouturage « en arcade » utilisable pour des rameaux souples, la tige est fichée en terre par ses deux extrémités et sectionnée en son milieu après reprise.

Le bouturage complètement à l'envers peut être pratiqué avec certaines espèces (Cactées par exemple). Une raquette d'Opuntia endommagée par un mollusque peut ainsi être quand même utilisée.

Le bourgeonnement adventif est moins facile à provoquer que l'enracinement avec inversion de position de la bouture. Quelques espèces se prêtent pourtant à l'expérience, telle la Chicorée à grosse racine de Bruxelles (Witloof).

Le bouturage temporairement à l'envers a été essayé avec succès sur boutures d'automne de rosiers : le rameau étant repiqué une semaine la tête en bas cicatrise plus facilement sa plaie, tandis que les hormones voient leur migration interrompue. La reprise est ensuite facilitée lors du repiquage définitif en position normale.

Action de l'humidité et de la température. — Les boutures ligneuses placées en stratification pendant l'hiver en attendant l'époque de plantation évoluent lentement, cicatrisant leurs plaies et commençant d'ébaucher des rudiments de racines.

Les greffes-boutures de vigne voient la soudure du greffon et du sujet ainsi que l'enracinement facilités par une stratification dans la sciure maintenue très humide et à une température de 25° environ pendant deux ou trois semaines.

Une température élevée au début : 35° pendant cinq à six jours décroissant ensuite de 2° par jour serait préférable.

Les boutures de racines de divers porte-greffes fruitiers prélevées au moment du bourgeonnement sur des pieds arrachés et mis en jauge au début de l'hiver donneraient de bons résultats avec stratification quinze jours dans la paille humide et pralinage à la plantation.

Un traitement préalable à la plantation de boutures de racines de Pirus communis « boreana » par exposition en atmosphère à 50 % d'humidité pendant quatorze jours aurait permis une reprise à 70 % pour un résultat nul du témoin.

Traitements combinés. — Les effets des divers traitements physiques examinés séparément peuvent permettre de mieux comprendre les diverses réactions des végétaux (sans généraliser trop hâtivement pourtant, en raison de la grande diversité des espèces végétales).

La combinaison bien comprise de plusieurs traitements peut permettre une amélioration sensible des résultats en favorisant l'émission de racines ou de bourgeons sur espèces difficiles.

Avec bouturage de rameaux ligneux : de bons résultats auraient été obtenus en enterrant complètement les boutures, la tête en bas, avec fond sableux, le sol étant ensuite couvert d'une épaisse couche de fumier avant la fin de l'hiver. Ce procédé semble intéressant en son principe car il combine les avantages du bouturage temporairement à l'envers et celui utilisant la chaleur « de fond ». Les auxines sont retenues et l'activité de la base de la bouture favorisée aux dépens du bourgeonnement. La plantation définitive n'a lieu qu'ensuite après trois semaines de traitement, en position normale et en plein air.

Un procédé semblable a été utilisé en laboratoire en plaçant les boutures dans un cylindre chauffé à une extrémité par une ampoule de 40 W à 25-30 °C pendant dix-sept-dix-huit jours, les rameaux étant ensuite entreposés à 0-2 °C jusqu'à l'époque de plantation, en mai.

Par marcottage de racines de pommiers : les souches à multiplier sont soulevées pendant l'hiver pour être replantées en laissant émerger les collets de 6 cm au-dessus du sol. Les racines sont ensuite rechaussées par un buttage. En juillet les buttes sont aplanies et le sommet des racines laissé exposé au soleil. Les racines sont sectionnées au-dessous du collet pendant le cours de l'hiver suivant et développent des bourgeons au cours de la seconde année. Ce procédé donnerait des résultats positifs avec pêcher, noyer, cerisier, etc.

N. B. — Les méthodes citées sont intéressantes à observer en raison de l'effort d'adaptation aux lois biologiques qu'elles impliquent. Dans la pratique pourtant, il est souvent nécessaire d'avoir recours aux procédés les plus simples.

Traitements chimiques.

Auxines. — Par divers traitements physiques les activités de la plante stimulées ou modifiées permettent d'obtenir un enracinement ou un bourgeonnement plus facile lors de la multiplication végétative.

Ces transformations s'exercent par l'intermédiaire de multiples transformations chimiques : élaboration et dégradation de substances variées et complexes.

Parmi celles-ci les hormones végétales, dont l'activité stimulatrice de croissance et de multiplication cellulaire a déjà été évoquée, concourent pour une grande part à la différenciation et à la croissance des organes nouveaux : racines et bourgeons.

Élaborées par les méristèmes apicaux des bourgeons à partir de substances produites par les feuilles, ces phytohormones ou auxines migrent à travers les tissus végétaux à partir des extrémités des rameaux vers les racines. Leur concentration d'abord très faible aux extrémités va croissant au fur et à mesure qu'elles s'accumulent par l'effet de leur cheminement naturel. Elles excitent d'abord l'élongation des cellules puis leur division et, par là, concourent au développement des jeunes pousses. A dose plus forte elles inhibent la croissance des bourgeons inférieurs. Des concentrations plus élevées encore excitent la différenciation des tissus en rudiments de racines.

Les premières auxines naturelles découvertes ont été dénommées auxine *a* (acide auxentriolique) et auxine *b* (acide auxénilonique). D'autres substances ont été reconnues capables d'agir sur les plantes à la façon des auxines, notamment l'acide indole acétique, d'abord dénommé « hétéro-auxine » et reconnue ensuite comme étant elle-même l'auxine naturelle la plus connue. On appelle maintenant « auxines de synthèse » celles qui n'existent pas dans la nature, tels les acides bêta-indole butyrique et alpha-naphtalène acétique.

La découverte des auxines de synthèse trouve de nombreuses applications, entre autre, en agriculture, le désherbage sélectif des céréales et en horticulture, l'enracinement de marcottes et boutures de reprise difficile.

Applications sur boutures. — Les auxines ont été parfois appliquées *sur boutures* par trempage du feuillage ou pulvérisation de solutions très diluées.

Les procédés actuellement reconnus comme étant les plus commodes d'utilisation sont le trempage de la base de la bouture en solutions aqueuses ou en poudres chargées de substance active.

Trempages. — La solution est préparée au moment de l'emploi. Pour utiliser du produit pur le faire dissoudre auparavant dans un peu d'alcool puis mêler à la quantité d'eau voulue (dans les spécialités du commerce l'auxine est déjà présentée en solution légèrement diluée).

Plonger ensuite la base des boutures dans la solution sur quelques centimètres de hauteur et laisser tremper pendant plusieurs heures.

Une atmosphère un peu sèche, en favorisant la transpiration du feuillage, accélère l'absorption du liquide. Ne pas trop serrer les boutures entre elles.

En moyenne les concentrations de produit pur par litre d'eau et durées de trempage sont les suivantes avec les acides indole butyrique et indole acétique :

— boutures herbacées : 20 à 50 mg, de 12 à 24 h;

— boutures à bois aoûté : 50 à 150 mg, de 24 à 48 h.

Certaines boutures craignant la pourriture préfèrent une concentration plus forte (double ou triple) pour un temps de trempage réduit : de 2 à 6 h.

L'acide naphtalène acétique est normalement à employer en solution deux fois moins concentrée.

Le trempage rapide peut également être utilisé par simple immersion de la base de la bouture pendant une fraction de seconde dans une solution très concentrée : 1 à 4 g d'auxine par litre. Ce procédé n'est cependant applicable qu'à des espèces à écorce suffisamment liégeuses. Les boutures herbacées ne le supportent ordinairement pas.

Pour obtenir des effets réguliers n'utiliser que des hormones de fabrication récente et conservées dans un lieu obscur et frais. Renouveler les solutions après utilisation.

Poudrages : l'auxine peut être diluée dans un support pulvérulent : talc ou charbon de bois.

La base de la bouture (à peine humide) est plongée dans la poudre sur 1 ou 2 cm de hauteur, puis secouée légèrement.

Ce mode d'application est particulièrement commode pour des plantes au feuillage raide et quand il n'est pas possible de se procurer des bacs de trempage en quantité suffisante.

La concentration de la poudre varie suivant les espèces traitées : en acide indole butyrique ou acétique 0,5 à 2 ‰ environ de substance active sur boutures herbacées, et de 5 à 10 ‰ sur rameaux ligneux. En acide naphtalène acétique les doses doivent être sensiblement plus faibles.

Application sur marcottes. — Les hormones s'appliquent non seulement sur boutures mais aussi sur marcottes aériennes, souvent avec incision du rameau et application d'un tampon de sphagnum humide enveloppé d'un manchon en film plastique. L'auxine est alors apportée sous forme de pâte de lanoline ou plus souvent par poudrage en mélange avec du talc (1 à 8 ‰ suivant l'espèce et la dureté du rameau).

Techniques complémentaires. — Pour les boutures produisant un cal sans s'enraciner, renouveler le traitement une seconde fois avec éventuellement incision du cal.

Certaines espèces peuvent tirer un plus grand bénéfice de l'opération si une incision est pratiquée à l'endroit d'application de l'auxine. De bons résultats ont été obtenus de l'incision en croix de la base de boutures d'Ilex opaca ou de l'ablation d'un lambeau d'écorce sur boutures ou marcottes. Ces incisions permettent d'obtenir un enracinement plus régulier avec une concentration moindre de produit.

Expérimentation systématique. — Des différences assez importantes peuvent être observées dans les réactions de divers végétaux aux traitements par auxines.

La même espèce, peut réagir elle-même différemment suivant qu'elle est traitée en boutures plus ou moins ligneuses ou herbacées et en diverses conditions de milieu.

Quelques résultats cités par divers auteurs sont indiqués à titre documentaire dans la deuxième partie de ce livre. Il importe pourtant, pour l'utilisateur, d'expérimenter rationnellement pour une bonne mise au point personnelle.

Pour cela travailler en parallèle plusieurs séries de boutures en commençant sur une petite échelle, mais avec des rameaux prélevés et traités en conditions bien déterminées : comparer avec des expériences déjà réussies en faisant varier l'une ou l'autre des conditions habituelles : concentration du produit, état de lignification de la bouture, conditions ambiantes de température et d'humidité, etc.

Des essais effectués avec un matériel végétal hétérogène, sans contrôle précis des conditions de milieu ne pourraient donner que difficilement des résultats présentant un intérêt pratique.

Il peut être également très instructif d'observer, dans une même série d'expérience, quelles sont les boutures les mieux — ou les moins bien — réussies, afin d'émettre des hypothèses pour l'amélioration des essais futurs.

Ainsi dans un lot de boutures enracinées, il est possible d'observer, avant l'arrachage, si une partie de la surface de plantation n'apparaît pas à l'œil comme étant de meilleure végétation et d'essayer d'en déterminer la cause due aux conditions particulières de milieu... Dans une même série, également, il est parfois possible d'observer si de légères différences de force ou de lignification des boutures ont influé favorablement ou non sur les résultats.

Quelques phénomènes peuvent donner à première vue un aperçu de la valeur des résultats obtenus :

— peu de différence avec le témoin : doses trop faibles ou mauvaise réactivité de la plante aux auxines employées;

— pertes importantes dans les séries traitées, base des boutures nécrosées, racines très nombreuses et courtes, développement plus lent de la jeune plante : concentration excessive de la solution employée;

— racines nombreuses et suffisamment longues, bonne végétation ultérieure : application judicieuse de l'auxine.

Opportunité de l'emploi des auxines de synthèse. — Certaines plantes de reprise assez facile, multipliées en excellentes conditions de végétation et de milieu, n'auront nullement besoin de l'aide de substances de croissance artificielles.

En d'autres circonstances pourtant : boutures durcies, conditions d'environnement moins bonnes, ces mêmes espèces pourront tirer bénéfice de l'application des auxines de synthèse.

Pour certains végétaux considérés autrefois comme d'enracinement très difficile, tel les Rhododendrons hybrides, un bénéfice très net est à escompter pour l'obtention de plantes plus vigoureuses et plus vite commercialisables.

Pour diverses espèces de reprise assez facile, tel le Laurier-cerise (*Prunus laurocerasus*) le bouturage peut être effectué grâce aux auxines avec des branches déjà ramifiées, et produire ainsi rapidement de fortes plantes.

L'application d'auxines lors du bouturage facilite la transplantation ultérieure des espèces devant être déplacées en mottes, par la multiplication du nombre de racines initiales.

Application d'autres substances de croissance. — Diverses substances excitatrices de croissance peuvent exercer une action complémentaire de celle des auxines, telle la *vitamine B* 1 (aneurine) à la dose de 1 mg/l (diluée directement dans l'eau), l'acide nicotinique, etc.

Par application combinée de diverses substances, des résultats intéressants peuvent ainsi être obtenus, tel celui-ci, instructif également par la précision des indications apportées : « Bouturage de Prunus Mahaleb ».

Boutures feuillées de 7-8 cm de long, trempées un instant dans une solution cireuse comprenant en parties par million : 1 000 d'urée, 5 000 de sucre, 25 de thiamine et 25 d'acide nicotinique, la base des boutures est ensuite immergée pendant quatre heures dans une solution aqueuse comprenant 200 parties par million d'adénine, puis poudrée avec du talc renfermant 3 000 parties par million d'acide indole butyrique.

Les boutures traitées ont fourni un résultat positif : 100 % de boutures enracinées en trois semaines avec dix-neuf racines en moyenne par bouture.

Un lot traité sans adénine a donné 40 % d'enracinement en trois semaines et 80 % en six semaines avec huit racines en moyenne par bouture.

Un témoin sans adénine ni auxine n'a pas permis d'obtenir d'enracinement.

(Le même procédé aurait donné de bons résultats avec les divers porte-greffes du pêcher.)

Les *gibberellines*, substances actuellement à l'étude ne semblent pas exercer d'effet sur la rhizogénèse. Elles exercent par contre une influence marquée sur la formation et la stimulation de la végétation des bourgeons.

BIBLIOGRAPHIE

Bouturage de racines d'arbres fruitiers :

ZATIKO (I.) : Nouvelle méthode pour propager les variétés de fruits et les porte-greffes (en hongrois, résumé en allemand), *Bull. Fac. Hort. Budapest*, 1948, 12 : 69-73.

Greffe sur racine nourricière :

FLOOR (J.) : Proeven met vermeerdering door enstekken, *Meded. Inst. Vered. Tuinbouwgew*, 40, 1952, p. 26.

O. ROURKE (F. L.) and TUKEY (H. B.) : Propagation of Malling apple rootstocks by nurse root grafting, *Proc. Amer. Soc. Hort. Sci.*, 1952, 60, 101-3.

Traitement préalable en atmosphère sèche :

CORREA de S. CASTELLO BRANCO (A.) : Multiplication végétative par boutures de racines, *La Nature*, 1951, 168 : 125-6.

(*Suite Bibliographie, page* 52.)

CHAPITRE V

DÉFENSE DU VÉGÉTAL BOUTURÉ

Les végétaux peuvent subir les attaques d'ennemis multiples et divers : animaux (rongeurs, mollusques, insectes, acariens, anguillules, etc.) parasites végétaux (phanérogames, cryptogames, bactéries, etc.) et agents de dégénérescence (virus).

La période de multiplication exige des soins particulièrement assidus pour préserver les plantes de diverses attaques parasitaires : la multiplication végétative peut également favoriser la pullulation des parasites en même temps qu'elle tend à propager les qualités d'un végétal, pour diverses raisons : souches déjà infectées, transmission par les instruments de travail, conditions de milieu particulièrement favorables aux parasites, etc.

Sans vouloir s'étendre à l'excès sur la parasitologie et les traitements appropriés aux différentes espèces de végétaux qui sont étudiées en des ouvrages spéciaux, il convient de rappeler quelques règles de lutte antiparasitaire nécessaires en particulier à la multiplication végétative.

Protection contre les parasites animaux.

Dans les cultures de serres et de plein air les plantes jeunes et tendres sont fréquemment attaquées par les limaces ou les loches surtout en milieu humide. Ces mollusques sont facilement détruits par des appâts comprenant environ 1/20 de méthaldéhide (méta du commerce) souvent mêlé à du son fin. Ce son moisissant facilement il est préférable d'utiliser la forme granulée ou même du méta pur en serre.

De nombreux insectes et leurs larves : chenilles, pucerons, cochenilles, thrips, etc. détériorent les plantes, les uns en dévorant le feuillage, les autres par les piqûres qu'ils infligent aux tissus les plus jeunes. Les insectes piqueurs contribuent également à la transmission des maladies à virus : divers insecticides « de contact » (nicotine, huile blanche, insecticides chlorés, esters phosphoriques, roténone, etc.) peuvent les détruire, les traitements étant à renouveler régulièrement pour éviter les pullulations ultérieures. Une efficacité plus grande est normalement obtenue par l'emploi d'insecticides combinés (oléoparathions par exemple).

Divers acariens s'attaquent au feuillage et provoquent sur celles-ci une coloration grisâtre caractéristique. Les esters phosphoriques et les huiles blanches permettent de s'en débarrasser, mais les insecticides chlorés (lindane, D.D.T., etc.) sont inefficaces. D'autres produits de traitements sont spécifiques des acariens qu'ils éliminent sans nuire aux insectes utiles.

Les conditions de milieu influent sur la pullulation des insectes et acariens qui prospèrent tout particulièrement en atmosphère chaude et sèche. Il est donc recommandé de veiller à entretenir une humidité ambiante suffisante du milieu de culture, par bassinages du feuillage et du sol par périodes chaudes et sèches.

Certains parasites animaux s'attaquent aux organes souterrains des plantes ou séjournent dans le sol, tels certains pucerons, larves diverses et anguillules.

Le traitement du sol et des récipients ou coffrages utilisés peut être réalisé à l'avance par désinfection thermique ou incorporation au sol d'insecticides appropriés.

Les divers insecticides peuvent être employés en pulvérisations et poudrages (ou fumigations en serre) contre les parasites aériens.

Contre les parasites souterrains l'application peut être faite par arrosages ou incorporations de poudres actives au sol.

Lors de l'emploi des insecticides précités certaines précautions sont à prendre par l'utilisateur, à la fois pour lui-même, pour les personnes travaillant dans les cultures, pour les animaux domestiques, et pour les végétaux eux-mêmes. De nombreux produits antiparasitaires sont en effet excessivement toxiques, soit qu'ils agissent de façon brutale, tels les esters phosphoriques, soit que leur action s'exerce de façon cumulative (tels les insecticides chlorés). L'emploi de certains insecticides, tels les esters endothérapiques (qui circulent dans les plantes en empoisonnant la sève) est interdit dans les serres. Pour les végétaux à consommer dans un avenir assez proche d'autres prescriptions sont à observer également.

Protection contre les parasites végétaux.

Parasites, traitements physiques et chimiques. — Parmi les parasites végétaux certains sont des phanérogames se développant en pleine lumière et concurrençant les espèces cultivées pour l'espace vital et la consommation des substances nutritives disponibles (*mauvaises herbes*, de diverses espèces en particulier). Des façons culturales régulières, facilitées par la disposition en ligne des cultures les détruisent tout en améliorant les conditions physiques du sol (aération et maintien de l'humidité). Ces mauvaises herbes peuvent être éliminées en certains cas dans les cultures par l'application de substances chimiques agissant de façon sélective.

D'autres organismes végétaux rudimentaires, unicellulaires, parfois mobiles par leurs propres moyens (*les bactéries*) pénètrent par les stomates des feuilles ou les blessures des organes, circulent dans le végétal pour les vaisseaux conducteurs de sève, et causent la mort partielle ou totale du végétal parasité.

Ces bactéries sont transmises aux plantes saines par l'intermédiaire de végétaux malades ou morts, d'outils, du sol ou de l'eau.

Les dégâts fréquents sont causés aux plantes multipliées végétativement par divers *champignons microscopiques* : parmi ceux-ci certaines espèces rudimentaires tels divers « fusarium » sont transmis à la plante d'une façon analogue à celle des bactéries, d'autres possèdent un mycélium développé. Parmi ceux-ci divers champignons (pythium, botrytis, rhizoctonia, etc.) sont particulièrement virulents, en particulier ceux qui provoquent la « fonte », en détruisant les tissus du collet des jeunes plantes. Ces champignons sont dit « saprophytes » c'est-à-dire capables de vivre en se nourrissant de matières organiques du sol.

FIG. 22. — Mycélium de champignon (toile) sur bouture de Dahlias.

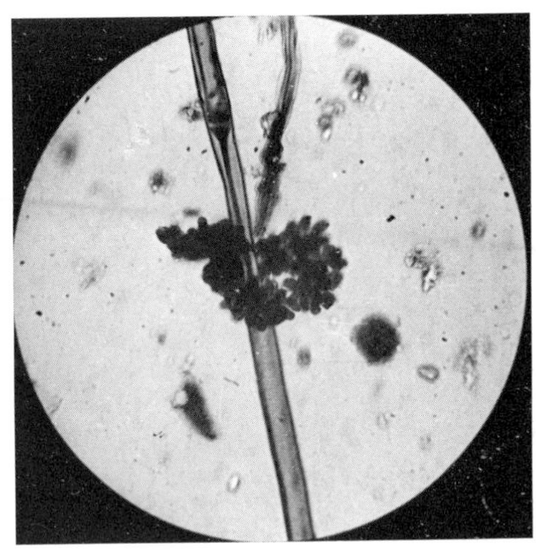

FIG. 23. — Filament de mycélium et conidies (× 625).

FIG. 24. — Type d'autodéfense de la plante contre une attaque de champignon parasite (la pourriture s'est arrêtée au nœud).

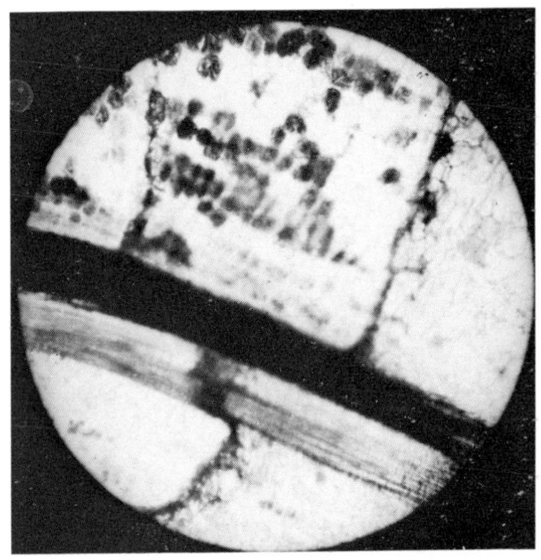

FIG. 25. — Type d'autodéfense de la plante : (coupe des tissus × 625). Des couches liégeuses ont arrêté la progression du champignon.

PLANCHE VI : **MALADIES DES VÉGÉTAUX BOUTURÉS**

Ainsi une spore peut germer sur le sol en circonstances favorables, particulièrement en milieu obscur, humide et chaud. Le mycélium s'étend sur le sol sous forme de filaments, parfois presque invisibles et parfois assez denses, ce qui fait lui donner, en ce dernier cas, le nom de « toile ». S'il rencontre une jeune plante, il perce l'épiderme encore fragile, pénètre dans les tissus qu'il détruit et la plante se couche sur le sol et meurt. Il est à remarquer que dans le cas de végétaux à l'écorce garnie d'une couche de liège relativement épaisse, la résistance est beaucoup plus grande. Les spores peuvent aussi germer directement dans une goutte d'eau ou de sève, sur une feuille ou sur une plaie de coupe où la pénétration du mycélium est particulièrement facile. Certaines plantes en voie de végétation active trouvent le moyen de se défendre elles-mêmes par la constitution d'une barrière protectrice telle une couche de liège interne; cette réaction est plus difficile pour des fragments végétaux séparés ou quand l'état végétatif est réduit par des conditions extérieures défavorables. Le mycélium ayant pénétré dans la plante se développe et fructifie, et l'on peut observer ultérieurement des efflorescences de spores sur les tissus pourris. Le moindre souffle d'air suffit pour faire voler de toutes parts cette fine semence capable de répandre la maladie.

Plusieurs précautions sont à prendre, en conséquence, pour protéger les végétaux multipliés des attaques de la fonte : nettoyer régulièrement plantes mères et boutures, des organes morts, donner aux plantes, chaque fois que cela est possible, un maximum de lumière et d'air (éviter en particulier de tasser les végétaux les uns contre les autres) nettoyer coffrages et vitrages avec une solution anticryptogamique concentrée (sulfate de cuivre par exemple) avant la multiplication; utiliser des substrats : sable, tourbe fraîche, à renouveler chaque année si possible. Au cas où il est nécessaire d'utiliser un substratum ancien le désinfecter par la chaleur. Pour cela élever la température du sol à 95^0 environ et laisser ensuite refroidir lentement la masse du sol. Cette stérilisation peut être effectuée par injection de vapeur ou chauffage du sol humide; il est dangereux de chauffer plus fortement un sol de culture (car il y a alors risque de destruction des bactéries utiles et même, à des températures plus élevées, de la matière organique). L'utilisation de désinfectants chimiques peut également être envisagée : formol du commerce dilué à raison de 1 l pour 50 l d'eau par mètre cube de terre; couvrir le sol traité par une bâche pendant deux jours pour concentrer les vapeurs. Celles-ci étant nocives à la végétation éviter de traiter à proximité de cultures délicates (surtout en local clos). Remuer ensuite le sol et le laisser s'aérer trois semaines avant de planter. Les composés organo-mercuriques peuvent également être utilisés : il convient dans l'emploi de ceux-ci de se montrer très prudent car ces produits sont très toxiques et peuvent nuire à l'utilisateur comme en certains cas à la végétation de plantes délicates.

Un traitement préventif contre les champignons parasites est toujours plus efficace : le mycélium est, en effet, quasi impossible à atteindre lorsqu'il a pénétré à l'intérieur de la plante; d'autre part, dans le cas des champignons responsables de la fonte et de la toile le mycélium établi est très résistant aux anticryptogamiques.

Afin d'atteindre les spores au moment de leur germination il est utile de mêler périodiquement à l'eau des arrosages utilisée sur des boutures fragiles un anticryptogamique efficace mais non dangereux pour des végétaux délicats. Employé de cette façon le sulfate d'orthoxyquinoléine donne des résultats satisfaisants au 1/10 000 ou 1/5 000 en solution dans l'eau d'arrosage.

En cas de dégâts causés par la fonte il est plus simple d'enlever largement la surface atteinte ou de la couvrir de chaux en poudre, afin de limiter l'extension du mycélium.

L'utilisation d'antibiotiques (sulfate de streptomycine, par exemple), sur feuillage a pu donner des résultats curatifs sur plantes atteintes. L'application pour la désinfection du sol n'a pas été jusqu'ici efficace le produit se trouvant trop rapidement neutralisé dans le sol, sauf en certains cas de culture en milieu inerte (cultures sur gravier).

Les boutures sont particulièrement vulnérables aux attaques de cryptogames, en raison des plaies non cicatrisées par lesquelles le mycélium des champignons ou les bactéries pathogènes peuvent pénétrer facilement.

Pour cela il est utile de sectionner les espèces à moelle juste au-dessous d'un nœud et, éventuellement, d'enlever la moelle restant dans le mérithalle (bouture d'œil de Vigne). Les espèces charnues sont pour la même raison à laisser cicatriser avant la plantation. L'enrobage de la base de la bouture avec du mastic à greffer serait efficace en certains cas.

Le traitement de la bouture par anticryptogamiques peut également être envisagé; ainsi le trempage des boutures d'œillets pendant douze heures dans une solution de sulfate d'oxyquinoléine au 1/40 000 contre la fusariose. D'autres produits ont été également utilisés tel le captane, la tomatine et l'omadine. Pourtant les facilités d'enracinement se trouveraient alors réduites partiellement et les réactions des espèces différentes ne seraient pas identiques.

Pour les espèces pourrissant facilement les applications par poudrage semblent préférables, mêlées ou non avec des auxines (fermate + acide indole butyrique dans le talc sur Pélargonium zonale en bouturage d'automne).

D'après divers auteurs le Phygon XL (50 % de 2-3-dichloro-1-4-naphtoquinone) auraient donné de bons résultats en mélange avec des auxines en poudre de talc, sur Cotoneaster, Houx, Daphné, Magnolia, Rhododendron, Olivier, sans effets contraires sur l'enracinement et la croissance ultérieure.

Dans l'emploi des divers anticryptogamiques les mêmes précautions que dans l'emploi des auxines sont à observer; les résultats peuvent être très variables suivant les espèces et les conditions d'emploi. Expérimenter d'abord sur de petites séries et en conditions très précises.

Précautions particulières à observer pour la multiplication sous vitrages. — Pour les cultures sous vitrages, divers soins journaliers sont à observer scrupuleusement, surtout sur les boutures herbacées étouffées dans les coffrages à multiplication des serres; à la face intérieure des vitrages se forment des gouttes de condensation qu'il faut éviter de laisser égoutter sur le feuillage. Pour cela une ou deux fois par vingt-quatre heures, il est bon d'enlever les châssis fermés hermétiquement et de les laisser ressuyer en les plaçant verticalement le long du sentier des serres. Lorsqu'il n'est pas possible de pratiquer de cette manière les essuyer régulièrement. Afin d'éviter également la permanence des gouttes d'eau sur les feuilles fragiles n'arroser qu'à bon escient et laisser ressuyer le feuillage avant de fermer hermétiquement les châssis.

Les arrosages sont à doser soigneusement suivant les végétaux et surtout suivant la saison. Il convient de ne pas laisser sécher la bouture par période chaude et sèche, mais il faut être très prudent pendant des périodes de temps couvert en particulier pendant les mois d'hiver enneigés.

Les abaissements ou élévations excessifs de température sont également fort nuisibles à l'état végétatif et sanitaire des plantes multipliées.

Maladies de dégénérescence : viroses.

Virus et protection des espèces multipliées. — Les maladies de dégénérescences sont dues à des parasites extrêmement petits, les virus, dont seulement les plus gros sont visibles au microscope électronique avec un grossissement de 100 000 fois.

Ces virus sont de grosses molécules de constitution chimique voisine des nucléoprotéines des cellules. Ils circulent avec la sève et vivent dans les cellules dont ils utilisent à leur profit une partie des substances nutritives. Leur présence se manifeste par des anomalies de végétation : taches et nécroses du limbe des feuilles, déformations diverses, nanisme de la plante. Les types de virus sont extrêmement nombreux : certains s'attaquent à certaines espèces seulement et d'autres à de nombreux végétaux. Il arrive que la maladie semble bénigne lorsque la plante est attaquée par une seule sorte de virus, l'action du parasite étant parfois masquée par une bonne végétation favorisée par des conditions extérieures favorables. C'est aux périodes de végétation moins intense que la présence de la maladie devient plus évidente.

Les effets de deux virus peuvent se conjuguer pour se manifester alors de façon extrêmement spectaculaire : les virus X et Y de la Pomme de terre qui ne produisent isolément que des mosaïques ou bigarrures légères, provoquent ensemble une frisolée grave.

Les virus se propagent de diverses manières : assez rarement par le sol ou la graine, beaucoup plus fréquemment par l'intermédiaire d'insectes piqueurs, pucerons, cicadelles, etc. ou par apport de sève d'un végétal malade sur une plante saine (friction d'organes entre eux, outils de multiplication).

Il convient donc de prévoir lors de la multiplication une lutte efficace contre les virus. La première opération consiste à sélectionner soigneusement les végétaux à multiplier en éliminant à toute époque de la culture les végétaux atteints, si possible, dès l'origine de l'attaque et en préservant les plantes saines des contaminations extérieures.

Parmi les procédés de détection certains consistent à provoquer une végétation plus précoce sur des échantillons de divers lots (Pommes de terre de semence).

Pour le Dahlia une intéressante méthode de coloration permet de détecter la présence de virus en période de repos des tubercules.

Lors de la multiplication végétative, lorsqu'il y a risque de contamination d'une souche à l'autre lors de la multiplication, désinfecter les instruments tranchants en les trempant dans une solution de formol au 1/20; pour cela utiliser de préférence plusieurs outils restant à tremper dans la solution pour servir successivement après avoir été rincés. Lors de la culture préserver les plantes des attaques des insectes piqueurs par des traitements insecticides appropriés; clore les ouvertures des serres de sélection par de fins treillages; en carré de cultures séparer les lots par des écrans végétaux (chanvre) et les planter à distance. Détruire les mauvaises herbes pouvant servir de plantes hôtes intermédiaires, etc.

Techniques originales pour la guérison des maladies à virus. —

Le *trempage* d'écussons de pêchers en divers produits chimiques a permis d'inactiver le virus X du pêcher.

La *thermothérapie*, par laquelle une plante est soumise pendant plusieurs jours à une température relativement élevée a donné des résultats positifs avec le Fraisier et la Canne à sucre en particulier.

Les *cultures de méristèmes* constituent à la fois un procédé particulièrement original de traitement phytosanitaire et de multiplication végétative; elles ont été appliquées avec succès à la guérison de variétés de Dahlias et de Pommes de terre.

La première opération consiste à isoler le méristème, sous forme d'un fragment très petit (1/10 à 1/5 mm de diamètre). Après désinfection la minuscule portion de plante est cultivée en tube à essai sur gélose avec solution nutritive de Knop additionnée de saccharose et de vitamines du groupe B.

La croissance du fragment est d'abord rapide, puis reste stationnaire plusieurs mois. Finalement se développent les jeunes tiges, puis parfois les racines. En raison des difficultés de transplantation du milieu gélosé en milieu terreux les rameaux suffisamment développés sont greffés sur sujets issus de semis. Une fois suffisamment fortifiés ces rameaux sont multipliés par boutures et permettent de reconstituer un clone sain.

BIBLIOGRAPHIE

Limasset (P.) et Darpoux (H.) : *Principes de pathologie végétale*, 1951.

Bovet (R.) et collaborateurs : *La défense des plantes cultivées*. Traité pratique de phytopathologie et de zoologie agricole. 6e édition 1972.

Benas (G.) et de Ravel (G.) : Les procédés de lutte contre les parasites du sol en culture intensive, *Bull. Tech. d'Inf. des Ing. des Serv. Agric.*, 1956, n° 210, pp. 285-290.

Doran (W. L.) : Traitements fongicides (Phygon XL) en application sur boutures associés avec des substances de croissance en poudre (en anglais), *Proc. Ann. Soc. Hort. Sci.*, 1952, 60 : 487-91.

Newton (W.) : Effects of the application of fungicides to wounded plant tissues, *Sci. Agric.*, 1952, 32 : 659-62.

Martin (M. C.) : *Les maladies à virus du dahlia*, Station Centrale de Pathologie végétale, C.N.R.A., Versailles.

Morel (G.) et Martin (C.) : *Guérison de plantes atteintes de maladies à virus par cultures de méristèmes apicaux*, Station de Physiologie végétale, station pathologie végétale, C.N.R.A., Versailles.

Suite de la Bibliographie du chap. IV (page 46).

Marcottage de racines :

Brabec (S.) : Méthode simple pour propager les arbres fruitiers de multiplication difficile (en tchèque), *Sbor. Csl. Akad. Zemed. Ved. Rostl. Vyroba*, 1956, 29 : 701-14.

Application de substances de croissance :

De Boer (S.) : Het Stekken van Boomkwekery Gewassen, *Proefstation voor de boomkwekerij Boskoop*, 1955.

Wells (J. S.) : Plant propagation practices, *The Macmillan Compagny*, New York, 1958.

Dujardin (J.) : Hormones, plastiques et marcottage, *Revue horticole*, 1957, n° 2 216, pp. 1614-1616.

Graham (S. O.) : Bouturage feuillé de Prunus Mahaleb avec adénine et acide indole butyrique (en anglais), *Phytopathology*, 1953, 43 : 587.

Chouard (P.) : Les Gibberellines, *Revue horticole*, 1958, n° 2 222.

Seconde Partie

LES ESPÈCES VÉGÉTALES ET LA MULTIPLICATION VÉGÉTATIVE

(*Classement alphabétique*)

PRÉAMBULE

En cette seconde partie sont indiqués, pour de nombreux genres et espèces végétales, les procédés de multiplication végétative qui leur sont applicables. A l'occasion, sont rappelés brièvement les autres procédés de multiplication couramment utilisés.

Précisons, au sujet du nom de certains genres, qu'il a été conservé l'ancien nom sous lequel certaines plantes sont plus connues au lieu de celui qui est actuellement adopté par les derniers Congrès de Botanique. Tel est le cas par exemple, des Azalées cultivées. Elles figurent au genre *Azalea* et non à *Rhododendron* comme le voudrait la stricte écriture correcte des noms de plantes. Cet ouvrage étant, en effet, plus destiné au praticien (professionnel ou amateur) qu'au scientifique.

C'est également pour les mêmes raisons d'ordre pratique qu'il est souvent indiqué avec le nom de la famille botanique, soit avant, soit après celui de la division (ordre, sous-famille, tribu, etc.) lorsque cette précision présente un certain intérêt pour des rapprochements entre des plantes d'un même rang botanique.

Emploi des substances chimiques.

Pour faciliter l'emploi des substances chimiques de croissance, sont consignés quelques résultats cités par divers auteurs. Ces notes ont été puisées, en particulier, à trois sources auxquelles il sera possible de se reporter pour plus de détails. Numéro de référence :

[1] S. de Boer : *Het stekken van boomkwekerijgewassen* (Proefstation voor de boomkwekerif, Boskoop, 1955).

[2] Thiman and Behenke-Rogers J. : *The use of auxins in the rooting of woody cuttings.*

[3] J. S. Wells : *Plant propagation practices* (The Macmillan Compagny, New York, 1958).

COMMENT LIRE LES INDICATIONS RELATIVES AUX ESSAIS EFFECTUÉS AVEC DES AUXINES

Les indications utiles à l'exploitation des notes relatives au bouturage avec application d'auxines sont présentées par colonnes dans l'ordre suivant :

1° Sous la forme d'un nombre placé entre crochets et correspondant à l'un des trois ouvrages cité au bas de la page précédente, cette référence étant suivie;

2° De l'époque de multiplication (indication du ou des mois).
L'absence de cette mention, provient de ce que l'auteur en cause n'a pas donné cette précision. Dans ce cas il est remplacé par un tiret.

3° Modalités d'application du traitement :

A) Le lot témoin sans traitement particulier est indiqué par la lettre T.

B) Le lot traité par simple trempage de la base des boutures dans l'eau pure est indiqué sous la forme « H_2O/x », symbole de l'eau suivi d'un nombre correspondant à la durée du trempage, exprimée en heures.

C) Le lot traité avec auxines l'est par trempage de la base de la bouture dans une solution aqueuse ou dans une poudre (de talc ordinairement) chargée d'auxine.

Sont indiqués :

a) la nature de l'auxine utilisée :
IA : acide indole acétique.
IB : acide indole butyrique.
NA : acide naphtalène acétique.

b) Pour une solution aqueuse : la proportion d'auxine en parties par million/la durée de trempage (en heures);
Pour une poudre chargée : la proportion d'auxine en parties par million/le support utilisé (T pour le talc).

D) Le pourcentage de boutures enracinées (éventuellement le nombre moyen de racines par bouture).

E) Le temps écoulé entre le repiquage des boutures et l'enracinement (en jours).

F) Diverses observations souvent importantes pour l'interprétation des résultats relatives au fragment végétal ou aux conditions de milieu.

Un exemple concret :

ABIES PECTINATA « SILVER FIR » :

[2] Janvier.........	$H_2O/24$	4	364	Bois de 2 ans.
	IA 200/24	80	364	

est à interpréter ainsi :

Ces notes proviennent de l'ouvrage de THIMAN [2].

L'*Abies pectinata « Silver Fir »* a été bouturé en janvier (janvier).

La base des boutures d'un lot témoin a été trempée dans l'eau pendant 24 heures $H_2O/24$, 4 % de boutures enracinées (4) ont été obtenues en 364 jours (364).

Dans un autre lot la base des boutures a été trempée pendant 24 heures dans une solution comprenant 200 parties d'acide indole acétique par million d'eau (soit 200 mg/l) (IA 200/24). Ce lot a fourni 80 % de boutures enracinées (80). L'expérience a duré 364 jours (364).

Les boutures ont été coupées dans les deux cas sur du bois de deux ans, les autres conditions de culture étant les mêmes pour les deux séries.

Abelia. Robert Brown (Caprifoliacées, Lonicérées). — Serre froide, plein air dans le Midi, quelques espèces rustiques (*A. Chinensis*, *A. Engleriana*, etc.).

Bouturage : en été, de pousses herbacées, sous verre; en hiver, de rameaux aoûtés en serre tempérée. Marcottage : au printemps.

[2]	Juillet.........	T	52	28	
		NA 1 000/T	92	28	

ABELIA GRANDIFLORA :

[3]	Juillet.........	IB 4 000/T			Sable.

Abies. (Tournefort) Linné (Conifères) : SAPIN. — Plein air.

Bouturage difficile, exceptionnel. Semis. Greffage.

ABIES PECTINATA « SILVER FIR » :

[2]	Janvier........	$H_2O/24$	4	364	Bois de 2 ans.
		IA 200/24	80	364	
[2]	Janvier........	$H_2O/24$	6	364	Bois de 1 an.
		IA 200/24	45	364	
[2]	Juin...........	T	65	470	Pousses latérales.
		IA 50/24	80	470	

Abricotier. — Voir *Armeniaca*.

Abutilon. Tournefort ex-Adanson (Malvacées Sidées). — Serre froide.

Bouturage de pousses demi-herbacées, en serre tempérée.

Acacia. Tournefort ex-Linné (Légumineuses, Mimosées, tribu des Acaciées) : MIMOSA. — Serre froide, sauf quelques espèces de serre tempérée ou de plein air dans le Midi et dans l'Ouest.

Suivant les espèces :

Semis.

Bouturage de pousses aoûtées l'hiver, en serre, ou l'été sous verre à froid (*A. paradoxa* D.C., *A. spiralis*, *A. Drummondi* Benth., *A. grandis* Henfr., *A. verticillata* Wild., *A. cordata* Steud., etc.).

Greffage sur *A. floribunda* Wild. pour *A. dealbata* Link ou marcottage par couchage.

Acalypha. Linné (Euphorbiacées). — Serre chaude.

Bouturage de pousses feuillées au printemps ou en été sous verre.

Acantholimon. Boissier (Plombaginacées). — Plein air, rocailles.

Division de souche, bouturage de fin d'été (difficile), avec hivernage sous châssis.

Acanthopanax. Decaisne (Araliacées). — Plein air.

Semis. Bouturage de rameaux ligneux ou herbacés et de racines.

Acanthostachys. Link, Klotzsch et Otto (Broméliacées). — Serre chaude.

Séparation de stolons.

Acanthus. Tournefort ex-Linné (Acanthacées, tribu des Acanthées). — Pleine terre et serre froide.

Division de touffes en automne pour les espèces de plein air et au printemps pour celles de serre froide.

Bouturage : de grosses racines, à froid, sous châssis, en automne-hiver (tronçons de 2 à 3 cm enterrés de 3 à 5 cm); de rameaux (très facile pour toutes les espèces de la famille des Acanthacées).

Acer. (Tournefort) Linné (Sapindales, Acéracées) : Érable. — Arbres et arbustes de plein air ou de serre froide.

Semis. Greffage. Bouturage possible de l'*A. Negundo*, mais les plantes manquent alors de vigueur.

Marcottage de rameaux demi-herbacés (certains Acers, comme *A. circinatum*, *A. laxiflorum*, sont presque impossibles à bouturer).

Acer palmatum :

[2]	—	$H_2O/20$	0	
		IB 50/20	20	42

Acer rubrum :

[2]	Juin...........	$H_2O/6$	0	
		IB 200/6	63	56

Acer saccharum :

[2]	Juin...........	$H_2O/32$	0
		IA 50/32	85
[2]	Juillet.........	T	33
		IA 10/48	100

Acer Japonicum et palmatum (variétés) :

[1]	Mai-juin et août-septembre.	IB 10 000/T NA 1 000/T	Avec incision : tourbe + sable.

Acer palmatum atropurpureum :

[3]	Juin-juillet.....	IB 20 000/T	Pousses vigoureuses et en croissance active, incision, 4/5 de tourbe et 1/5 de sable, humidité et température élevées.

Achillea. Linné (Composées Radiées). — Herbes de plein air, bordures.

Semis. Division de touffes au printemps.

Achimenes. R. Brown (Gesnéracées). — Serre chaude ou tempérée.

Division des rhizomes, tenus au sec dans le sable pendant la période de repos. Bouturage de feuilles.

Achras. Linné (Sapotacées) : Sapotillier. — Serre chaude.

Bouturage à chaud (facilité par les auxines).

Achyranthes. Linné. — Voir *Iresine.*

Aconitum. Tournefort ex-Linné (Renonculacées) : Aconit. — Plein air.

Division des souches en automne.

Acorus. Linné (Aracées). — Plein air, aquatique.

Multiplication facile par éclats de la souche.

Actaea. (Tournefort) Linné (Renonculacées). — Plein air.

Division des touffes en automne.

Actinidia Lindley (Ternstrœmiacées). — Plein air. Arbustes grimpants, rustiques, surtout en station abritée. Ornementaux, ou baies comestibles.

Marcottage de rameaux herbacés. Greffage. Bouturage de rameaux ligneux en hiver, ou de pousses feuillées en été.

ACTINIDIA ARGUTA :

[2]	Septembre.....	T	42	
		IB 5/24	86	29
		NA 5/24	80	

ACTINIDIA CHINENSIS :

[2]	Juillet.........	T	60
		IA 100/48	100

Adamia. Wallich (= *Dichroa* Loureiro) (Saxifragacées). — Serre tempérée.

Bouturage facile, toute l'année, surtout au printemps, de pousses herbacées.

Adansonia. Linné (Malvacées, Bombacées). — Serre tempérée.

Bouturage à chaud.

Adelaster. Lindley (= *Eranthemum*) (Acanthacées). — Serre chaude.

Bouturage de pousses tendres pendant l'hiver, sur fond chaud.

Adenandra. Willdenow (Rutacées Diosmées). — Serre froide.

Bouturage au printemps en serre froide, et en été sous verre, de pousses demi-aoûtées prélevées avant la formation des boutons floraux (sol fortement additionné de sable ou de fin gravier, ne pas trop mouiller).

Adenocarpus. De Candolle (Papilionacées). — Arbustes de plein air, plus ou moins rustiques.

Marcottage.

Adenostyles. Cassini (= *Cacalia*) (Composées Radiées). — Plein air.

Division des touffes à l'automne.

Adhatoda. Tournefort ex-Medicus (Acanthacées). — Serre tempérée.

Bouturage toute l'année (reprise facile, surtout au printemps) sous verre, sur couche à l'ombre. Marcottage facile.

Adiantum. Linné (Fougères) : CAPILLAIRE. — Serre froide.

Semis. Rabattage et division des touffes au printemps. Séparation de proliférations (*A. caudatum, Edgewortii, ciliatum*).

Adonis. Dillenius ex-Linné (Renonculacées). — Plein air.

Espèces vivaces (*A. vernalis, A. pyrenaica*). Division en automne.

Æchmea. Ruiz et Pavon (Broméliacées). — Serre chaude et tempérée.

Séparation des œilletons déjà forts au printemps ou en été (en automne, la pourriture est à craindre).

Ægopodium. Knaut ex-Linné (Ombellifères) : PODAGRAIRE. — Plein air.

Multiplication aisée par les drageons.

Æschynanthus. Jack (Gesnéracées). — Serre chaude, grimpantes ou retombantes.

Bouturage l'hiver, jusqu'en mars-avril, de pousses herbacées à l'étouffé; reprise rapide sur fond chaud par feuilles pendant toute la saison chaude.

Æsculus. Linné (Hippocastanacées) : MARRONNIER. — Plein air.

Semis. Greffage. Bouturage de rameaux ligneux ou de racines.

Æthionema. R. Brown (Crucifères). — Plein air, rocailles.
Bouturage en été, à froid.

Agapanthus. L'Héritier (tribu des Alliées, famille des Amaryllidacées au sens d'Hutchinson, ou des Liliacées au sens ancien). — Serre froide, rustique, sous abri dans le Nord.
Division des souches au printemps.

Agathæa. Cassini (Composées Radiées). — Serre froide.
Bouturage herbacé, à froid, un peu à l'ombre, sans être étouffé.

Agathis. Salisbury. — Voir *Dammara* (Rumphius) Lamarck.

Agave. Linné (Amaryllidacées au sens ancien, Agavacées au sens d'Hutchinson). — Serre froide ou bonne orangerie pendant l'hiver, plein air en été.

Suivant les espèces :
Semis.
Séparation de rejets ou de proliférations diverses (la perforation du bourgeon central favorise l'émission des rejets).

Ageratum. Linné (Composées Radiées). — Plein air en été, plantes de massifs.
Bouturage très facile de pousses tirées de plantes mères hivernées en serre tempérée (donne des plantes plus régulières que celles issues de semis). Ne pas laisser sécher.

Agraphis. Link. — Voir *Endymion* Dum.

Ail. — Voir *Allium.*

Ailanthus. Desfontaines (Simarubacées) : Vernis du Japon. — Arbre de plein air.
Semis. Bouturage de rameaux aoûtés ou de racines en hiver.

Ajuga. Linné (Labiées) : Bugle. — Bordures et rocailles fraîches, rustique.
Division des touffes. Repiquage des stolons racinés à la fin de l'été.

Akebia. Decaisne (Lardizabalacées). — Plantes grimpantes de plein air.
Semis. Marcottage. Bouturage de racines et de rameaux ligneux ou herbacés.

Albizzia. Durazzini (Légumineuses Mimosées). — Plein air dans le Midi et l'Ouest, orangerie dans le Nord.
Semis seulement.

Aleurites. Forster (Euphorbiacées). — Arbres tropicaux.

[2]	—	$H_2O/20$	0		Bouture de 10 cm avec
		IA 60/24	44	77	2 à 4 feuilles.

Alisma. (Dillenius) Linné (Alismatacées). — Plein air, aquatique.
Multiplication facile par division des touffes ou repiquage des stolons, en automne ou au début du printemps.

Allamanda. Linné (Apocynacées, tribu des Carissées). — Serre tempérée et chaude.
Bouturage de pousses tendres l'hiver, avec chaleur de fond (laisser égoutter le latex et mastiquer la plaie avant le repiquage).

Allamanda cathartica :

[2]	Avril..........	T	0	
		IB 2 000/5 s	82	25

Allium. (Tournefort) Linné (tribu des Alliées, famille des Amaryllidacées au sens d'Hutchinson, des Liliacées au sens ancien) : AIL.

Suivant les espèces, séparation :
des caïeux formés dans les bulbes (*A. sativum* = ail commun);
des bulbilles émises autour du bulbe principal (*A. nigrum*);
de soboles ou bulbilles des inflorescences (*A. oleraceum*).

Alloplectus. Martins (Gesnéracées). — Serre chaude.

Bouturage facile à l'herbacé, en hiver (janvier à mars) sous verre, sur chaleur de fond.

Bouturage des feuilles, la base dans l'eau (matériel de choix pour les expériences sur les facteurs de la formation de racines et de bourgeons, P. Chouard).

Alnus. (Tournefort) Linné (Bétulacées) : AULNE. — Arbre de plein air.

Semis. Greffage. Marcottage en butte. Bouturage de rameaux défeuillés l'hiver en plein carré.

Alocasia. Necker (Aracées). — Serre chaude.

Division au printemps.

Aloe. Tournefort ex-Linné (Liliacées Aloïnées) : ALOÈS. — Serre froide ou tempérée, plein air en été et sur la Côte d'Azur.

Séparation des rejets. Semis.

Alonsoa. Ruiz et Pavon (= *Alonzoa*) (Scrophulariacées). — Serre tempérée.

Bouturage au printemps à l'herbacé, sous verre (beaucoup de lumière).

Alpinia. Linné (classe des Scitaminées, famille des Zingibéracées). — Serre tempérée.

Division des souches.

Alsophila. R. Brown (Fougères). — Serre tempérée.

Si la plante devient trop haute, elle peut être marcottée.

Alstrœmeria. Linné (Amaryllidacées au sens ancien, Alstrœmeriacées au sens d'Hutchinson). — Rustiques.

Diviser en automne avec précautions, enterrer à 25 cm, en sol profond et léger.

Alternanthera. Forskal (Amarantacées). — Serre chaude ou tempérée près du verre en hiver, pleine terre pour massifs et mosaïques en été.

Bouturage en serre tempérée, chaude, tout l'hiver puis sur couche au printemps (de pousses prises sur boutures d'août hivernées en serre tempérée près du verre, supprimer les inflorescences quand elles apparaissent).

Althæa. (Tournefort) Linné (Malvacées) : ROSE TRÉMIÈRE, PASSE-ROSE. — Plein air.

Semis. Division des souches au printemps. Bouturage sous châssis, en automne ou au printemps (pour les variétés rares).

Alyssum. Tournefort ex-Linné (Crucifères) : CORBEILLE D'OR (*A. saxatile* L.). — Plein air.

Bouturage en septembre, à l'ombre, des jeunes pousses. Division. Marcottage.

Amandier. — Voir *Amygdalus.*

Amaryllis. Linné (Amaryllidacées). — Pleine terre ou serre tempérée selon les espèces.

Semis. Séparation des jeunes bulbes après floraison.

Ambulia. Lamarck (= *Limnophila* R. Brown) (Scrophulariacées). — Plante d'aquarium.

Division des touffes.

Amelanchier. Medikus (Rosacées). — Arbrisseaux de pleine terre.
Semis. Greffage. Marcottage de rameaux herbacés ou bouturage de racines. Drageonnage.

Amherstia. Wallich (Légumineuses). — Arbre de serre chaude.
Bouturage à l'étouffée et à chaud.

Amorpha. Linné (Légumineuses). — Arbrisseaux rustiques.
Bouturage de rameaux ligneux ou herbacés. Divisions. Semis.

Amorphophallus. Blume (Aracées). — Serre chaude.
Séparation des jeunes tubercules pendant le repos.

Ampelopsis. Richer in Michaux (Ampélidacées) : VIGNE VIERGE. — Plantes grimpantes de plein air.
D'autres espèces sont plutôt rangées dans les Cissus (*A. discolor* et *A. argentea*, serre chaude) : multiplication en mars, à chaud, avec bois dénudé (*A. vitigena* et *A. antarctica*, orangerie).
Bouturage de rameaux ligneux en plein air pour l'espèce commune. Greffage pour les autres espèces ou bouturage sous verre. Semis.

Amphicome. Royle (Bignoniacées). — Pleine terre dans l'Ouest et le Midi.
Peut se multiplier par éclats de la souche.

Amsonia. Walter (Apocynacées). — Plein air.
Division de souches.

Amygdalus. (Tournefort) Linné (Rosacées) : AMANDIER. — Plein air, espèces alimentaires ou ornementales.
Semis pour les porte-greffes. Greffage des variétés.

Anagallis. (Tournefort) Linné (Primulacées) : MOURRON. — Plein air.
Bouturage de jeunes rameaux. Division des souches pour les espèces vivaces.

Ananassa. Lindley (Broméliacées) : ANANAS (*Bromelia Ananas*, *Ananassa sativa* ou *Ananas comosus*). — Serre chaude.
Séparation des drageons. Bouturage de la pousse-couronne qui surmonte le fruit (se met plus vite à fruit, mais n'est jamais vigoureuse).

Andromeda. Linné (Éricacées Vacciniées). — Plein air.
Semis. Marcottage. Bouturage de rameaux demi-aoûtés.

[3]	Juillet-août.....	IB 8 000/T	Boutures à bois tendre, tourbe + sable.

Androsace. (Tournefort) Linné (Primulacées). — Plein air, rocailles.
Séparation des stolons-rosettes enracinés, d'octobre à mars.

Anemone. Linné (Renonculacées). — Plein air.
Division de touffes pour espèces à souche fibreuse. Semis ou division des « pattes » pour espèces à souches charnues. Bouturage de racines sous verre pour *A. japonica.*

Angiopteris. Hoffman (Fougères). — Serre tempérée.
Comme pour *Alsophila.*

Anœctochilus. Blume (Orchidées, Néottiées). — Serre chaude et humide.
Bouturage facile (la terre de rempotage doit contenir des mycorhizes).

Anona. Linné (Anonacées). — Arbrisseaux rustiques, fruits alimentaires.
Bouturage de racines, comme les Magnolias à feuilles caduques.

Antennaria. Gaertner (Composées Radiées). — Plein air.
Multiplication par éclats, division des souches, isolement des stolons enracinés.

Anthemis. Micheli ex-Linné (Composées Radiées). — Plein air ou serre froide.
Anthemis nobilis L. (Camomille romaine) : semis ou éclats.
Chrysanthemum frutescens : bouturage de pousses tendres, à partir de janvier, en serre tempérée, ou en été, sous verre à froid.

Anthericum. Linné (= *Chlorophytum*) (Liliacées). — Serre froide, plein air l'été. Terre végétale ordinaire.
Séparation des plantules émises sur les tiges florales. Division de touffes.

Antholyza. Linné (Iridacées). — Plein air ou sous abri.
Division des souches pendant le repos de la végétation.

Anthurium. Schott (Aracées). — Serre chaude.
Division de souches au printemps. Semis.

Anthyllis. Rivinus ex-Linné (Papilionacées). — Rustiques, rocailles.
Bouturage. Marcottage.

Antigonon. Endlicher (Polygonacées). — Arbrisseau grimpant, serre tempérée.
Bouturage long et difficile.

Antirrhinum. Tournefort ex-Linné (Scrophulariacées) : MUFLIER, GUEULE DE LOUP. — Plein air.
Semis. Bouturage possible au début de l'automne sous châssis froid, ou au printemps sur couche.

Anubias. Schott (Aracées). — Plante d'aquarium.
Division.

Aphelandra. R. Brown (Acanthacées). — Serre chaude.
Bouturage de tiges feuillées ou d'yeux.

Apicra. Willdenow (Liliacées). — Serre froide ou tempérée.
Comme les *Aloe.*

Apios. Moench (Papilionacées). — Plein air, grimpante, tubercules alimentaires.
Séparation des tubercules en automne ou printemps.

Aponogeton. Linné Fils (Aponogétonacées). — Aquatique, à peu près rustique.
Division des souches.

Aquilegia. (Tournefort) Linné (Renonculacées) : ANCOLIE. — Plein air.
Division des souches en automne.

Arabis. Linné (Crucifères) : ARABETTE, CORBEILLE D'ARGENT (*A. alpina* L.). — Plein air.
Division des touffes en automne. Bouturage de pousses herbacées.

Aralia. Tournefort ex-Linné (Araliacées). — Plein air ou serre froide.
Semis. Greffage. Bouturage de rameaux ou de tronçons de racines au début du printemps en serre tempérée.

Araucaria. Jussieu (Conifères Abiétinées). — Plein air et serre froide.

A. excelsa : bouturage de pousses terminales au début de l'hiver, en godets, à l'étouffée, avec chaleur de fond modérée. Semis. Greffage.

A. imbricata et *brasiliensis* : semis.

Araujia. Brotero (Asclépiadacées, tribu des Cynanchées). — Serre froide et plein air en climats doux.

Bouturage avec bois aoûté au printemps en serre tempérée.

Arbutus. (Tournefort) Linné (Éricacées Arbutées) : ARBOUSIER. — Plein air ou orangerie.

Semis. Greffage. Marcottage en butte. Bouturage difficile (rameaux feuillés ou yeux pourvus d'une feuille, sous verre).

		UNEDO « RUBIA » :		
[2]	Novembre.....	H O/48	0	
		IB 33/48	33	105

Arctostaphylos. Adanson (Éricacées Arbutées) : BUSSEROLLE, RAISIN D'OURS. — Plein air.

Marcottage en butte. Bouturage de rameaux feuillés, sous verre. Division. Semis.

Arctotis. Linné (Composées Radiées). — Plein air, l'hiver sous abri.

Bouturage, sur couche tiède, en sol sableux modérément arrosé.

Ardisia. Swartz (Myrsinacées). — Serre tempérée.

Semis. Bouturage de branches semi-ligneuses, dans du sable, sur douce chaleur de fond, en hiver et au printemps.

Arenaria. Ruppi ex-Linné (Caryophyllacées). — Plein air, garnitures des rocailles.

Division de touffes au printemps et à l'automne sous châssis froid.

Argyreia. Loureiro (Convolvulacées). — Serre chaude, arbrisseaux volubiles.

Bouturage.

Arisœma. Martins (Aracées). — Serre froide ou plein air.

Division des tubercules pendant le repos de la végétation.

Aristea. Solander in Aitone (Iridacées). — Serre tempérée, plein air en été.

Multiplication par éclats ou par séparation des drageons.

Aristolochia. Tournefort (Aristolochiacées). — Plein air et serre.

Marcottage de rameaux demi-herbacés. Bouturage en serre au printemps (espèces non rustiques) (de rameau ou d'œil). Semis.

		ARISTOLOCHIA SIPHO		
[2]	Juillet.........	$H_2O/24$	0	
		IA 200/24	40	30

Aristotelia. L'Héritier (Tiliacées). — Serre tempérée.

Bouturage de rameaux demi-ligneux.

Armeniaca. Tournefort ex-Miller (Rosacées) : ABRICOTIER. — Plein air.

Semis pour francs. Greffage des variétés.

Armeria. Linné (Plombaginacées) : GAZON D'ESPAGNE, GAZON D'OLYMPE. — Plein air.

Division des touffes après la floraison. Mise en place immédiate ou repiquage en godets sous châssis froid pour les espèces délicates.

Arnebia. Forskall (Boraginacées). — Plein air.
Bouturage avec talon en automne sous châssis froid (enracinement lent) ou de tronçons de grosses racines.

Arnica. Ruppi ex-Linné (Composées Radiées). — Plein air.
Division des souches au printemps.

Aronia. Persoon (Rosacées). — Plein air.
Semis. Marcottage de pousses herbacées ou de racines.

Artemisia. Linné (Composées Radiées) : ARMOISE, ESTRAGON (*A. dracunculus*). — Plein air et potager.
Bouturage de rameaux herbacés ou ligneux. Marcottage et division.

Artichaut. — Voir *Cynara*.

Artocarpus. Forster (Urticacées Artocarpées). — Serre chaude.
Bouturage en serre à multiplication chaude, en hiver ou au printemps, comme pour le *Ficus*.

Arum. (Tournefort) Linné (Aracées). — Plein air.
Voir *Zantedeschia*.

Arundinaria. Michaux. — Voir *Bambous*.

Arundo. (Tournefort) Linné (Graminées) : ROSEAU, CANNE DE PROVENCE. — Plein air.
Bouturage de rameaux ligneux couchés dans l'eau. Division.

Asclepias. Linné (Asclepiadacées, tribu des Cynanchées). — Plein air et serres.
Semis. Bouturage sous verre.

Asimina. Adanson (Anonacées). — Plein air.
Voir *Anona*.

Asparagus. Tournefort ex-Linné (Liliacées Asparaginées) : ASPERGE (*A. officinalis* L.). — Plein air et serres suivant les espèces.
Semis. Division de touffes.
L'*A. tenuifolius* se bouture en serre tempérée en hiver.

Asperella. Humboldt in Rœmer (= *Asprella*) (Graminées). — Plein air.
Semis ou division des touffes.

Asperula. Linné (Rubiacées). — Plein air.
Séparation de touffes et de drageons à la fin de l'été.

Asphodelus. Tournefort Linné (Liliacées Asphodélinées). — Plein air.
Séparation de drageons ou division des touffes.

Aspidistra. Ker-Gawler (Liliacées Aspidistrées). — Serre tempérée, appartements.
Division des rhizomes.

Aspidium. Swartz (Fougères). — Plein air.
Division des touffes.
Chez *Aspidium proliferum*, les frondes sont terminées par une prolification facile à isoler.

Asplenium. Linné (Fougères). — Plein air ou serres selon les espèces.
Division des touffes. Plusieurs espèces produisent sur les frondes d'abondantes prolifications.

Aster. Tournefort ex-Linné (Composées Radiées). — Plein air.
Division de touffes au printemps ou en automne. Bouturage de pousses herbacées.

Astilbe. Hamilton in D. Don (= *Hoteia*) (Saxifragacées). — Plein air.
Division des souches.

Astragalus. Tournefort ex-Linné (Papilionacées). — Plein air.
Bouturage assez difficile sous châssis froid pour les espèces ligneuses. Division de touffes pour les espèces herbacées.

Astrantia. Tournefort Linné (Ombellifères). — Plein air.
Division de touffes.

Astrapea. Lindley (Sterculiacées Dombeyées). — Serre tempérée, arbres pour jardin d'hiver.
Bouturage à bois aoûté en hiver et au printemps, en serre tempérée, avec légère chaleur de fond.

Asystasia. Blume (= *Mackaya*) (Bignoniacées). — Serre tempérée.
Bouturage au printemps, en serre tempérée.

Athrotaxis. D. Don (Conifères). — Plein air.
Bouturage courant.

Atragene. Linné. — Voir *Clematis.*

Atriplex. Tournefort Linné (Chénopodiacées). — Plein air.
A. halimus : Semis. Bouturage de rameaux ligneux. Division.

Aubépine. — Voir *Cratægus.*

Aubergine. — Voir *Solanum.*

Aubrietia. Adanson (Crucifères). — Plein air.
Division de touffes en août-septembre, ou au printemps. Bouturage facile à la fin de l'été.

Aucuba. Thunberg (Cornacées). — Arbustes de plein air.
Bouturage à la fin de l'été sous verre à froid ou en hiver en serre tempérée de pousses bien aoûtées (ombrer suffisamment). Marcottage.

AUCUBA JAPONICA :

[2] Janvier.........	$H_2O/8$	50 (7)		
	IA 50/8	90 (13)	49	
[2] Octobre........	T	100 (5)		
	IA 75/15	100 (13)	30	Tourbe et sable par 1/2.

Aune. — Voir *Alnus.*

Avocatier. — Voir *Persea.*

Azalea. Linné (Éricacées). — *A. indica* L. : serre froide; *A. amœna* Lindl., *A. mollis* Blume, *A. pontica* L., *A. sinensis* Lodd., etc. : plein air (toutes : terre de bruyère).

Précisons que le genre *Azalea* est aujourd'hui incorporé au genre *Rhododendron* et que la nouvelle dénomination des espèces précitées sont : *Rhododendron indicum* L., *R. obtusum* var. *ameonum* Rehd., *R. molle* G. Don, *R. luteum* Sw., *R. molle* G. Don. Mais *Azalea* étant plus connu d'un grand public, il a été conservé les anciennes dénominations.

Azalées rustiques : Greffage sur *A. pontica* ou bouturage sous verre.

Azalea indica : Greffage sur *A. concinna*, ou bouturage direct.

(Pour de nombreuses variétés la végétation des plantes greffées est meilleure.)

Les boutures destinées au greffage de printemps sont faites en automne et hivernées en serre tempérée. Il est également possible de bouturer à la fin de l'hiver pour greffer en été.

Bouturage à l'étouffée à 15-18 °C (faire ressuyer régulièrement les châssis) en terre de bruyère suffisamment consistante (très sableuse ou additionnée de sciure de bois). Maintenir un ombrage et une humidité suffisante.

Il est possible lors du greffage, de tirer une greffe bouture de la tête de la plantule pour regreffer ensuite le sujet décapité.

AZALEA INDICA « CONCINNA » :

[2] Août...........	T	90		
[2] Octobre........	IA ou IB 1 000/10 000/- Charbon de bois	100	30	

AZALEA INDICA « VERVAENEANE RUBRA »

[2] Juillet..........	H_2O/16	85		
	IA 100/16	95	83	
	NA 100/16	100		

AZALEA CANADENSIS :

[2] Juin............	T	0		Bouture de feuille avec crossette.
	IB/12 000/T	25	91	
[2] Juillet..........	T	27		
	IB 50/20	75	50	

AZALEA MOLLIS :

[2] Juillet..........	T	0		Bouture de feuilles avec crossette.
	IB 2 000/T	50	70	

AZALEA MOLLIS « FRERE ORBON » :

[2] Juin............	T	20		Pousses terminales.
	IB 90/100	100	70	

AZALEA MOLLIS « GAL. BRAILMONT » :

[2] Juin............	T	100		
	IB 90/10	100	56	

AZALEA MOLLIS ET PONTICA :

[3] Mai............	IB 8 000/T			Rameaux tendres en végétation active, 9 parties de tourbe pour 1 partie de sable; base de la bouture incisée.
[3] Juin............	— *d*° —			

Azolla. Lamarck (Filicales, Salviniacées). — Plein air; aquatique.
Multiplication par fragmentation des touffes.

Baccharis. Linné (Composées Radiées). — Arbrisseaux rustiques. Très résistants au voisinage de la mer.
Bouturage et marcottage faciles.

Bæckea. Linné (Myrtacées). — Serre froide.
Marcottage, comme les *Melaleuca.*

Bambous (Graminées Bambusoidées). — Plein air.
On désigne sous ce nom les *Bambusa* Schreber, et surtout les genres vraiment ornementaux : *Arundinaria, Phyllostachys, Sasa,* etc.
Division des souches ou séparation de drageons, en automne ou au début du printemps.

Bananier. — Voir *Musa.*

Banksia. Linné f. (Protéacées, Banksiées). — Serre froide.
Marcottage en l'air sur branches aoûtées (lent). Bouturage difficile.

Baptisia. Ventenat (= *Podalyria*) (Papilionacées). — Plein air.
Division des souches.

Barbarea. R. Brown (Crucifères) : CRESSON DE TERRE. — Plein air.
Semis. Bouturage. Division de souches.

Barosma. Willdenow (Rutacées Diosmées). — Serre froide.
Bouturage délicat, comme pour les *Diosma* ou les *Epacris.*

Basilic. — Voir *Ocimum.*

Bauera. Banks ex-Andrews (Saxifragacées Cunoniées). — Serre froide.
Bouturage comme les *Barosma* et *Diosma,* en hiver, en serre tempérée, et en juin-juillet, en plein air. Terre de feuilles sablonneuse.

Bauhinia. Linné (Papilionacées). — Arbustes de plein air ou serre froide; plein air dans le Midi.
Bouturage à bois demi-aoûté, à l'étouffée, serre tempérée.

Beaucarnea. Lemaire (Liliacées Dracénées). — Plein air dans le Midi.
A traiter comme les *Nolina* et *Dasylirion.*

Beaufortia. Robert Brown in Aitone (Myrtacées Leptospermées). — Serre froide.
Bouturage comme pour les *Bauera, Diosma, Melaleuca, Myrtus, Eugenia,* etc.

Begonia. (Tournefort) Linné (Bégoniacées). — Serre tempérée.
B. Rex, B. socotrana, B. imperialis : Bouturage de feuilles ou de fragments de feuilles avec nervures (bien aoûtées) en serre chaude.
B. discolor : Semis des bulbilles émises sur les tiges.
B. fuchsioides, B. corallina, et *frutescents divers :* Bouturage de tiges au printemps.
B. tubéreux divers : Semis. Division des tubercules (laisser ressuyer les plaies). Bouturage au printemps (surtout pour les multiflores).
Les boutures de bégonia aiment l'ombre et craignent la pourriture.

Bellis. (Tournefort) Linné (Composées Radiées) : PAQUERETTES, MÈRE DE FAMILLE. — Plein air.
Semis. Division des touffes.

Bellium. Linné (Composées Radiées). — Plein air, rocailles.
Comme pour les *Bellis.*

Beloperone. Nees in Wallich (Acanthacées). — Serre tempérée.
Bouturage très facile en serre tempérée avec pousses tendres.

Benthamia. Lindley (Cornacées). — Serre froide ou plein air dans le Midi et l'Ouest.
Bouturage au printemps, à bois dur, en serre tempérée. Marcottage de branches aoûtées aux fourches.

Berberis. (Tournefort) Linné (Berbéridacées) : ÉPINE VINETTE. — Arbrisseaux de plein air.
Bouturage (de difficulté variable) de rameaux feuillés et aoûtés sous verre. Division des souches en automne. Marcottage (reprise en deux ans). Semis.

BERBERIS JULIANAE :

[2] Janvier.........	T	20	53	
	IB 4 000/T	56		

BERBERIS THUMBERGII ATROPURPUREA :

[2] Septembre......	T	0		
	IA 150/18	48 (8)	41	
	IB 25/18	36 (4)		

BERBERIS VERRUCULOSA :

[3] Janvier.........	IB 8 000/T			Boutures ligneuses feuillées. Tourbe pure.
[3] Février.........				

BERBERIS ESPÈCES DIVERSES :

[1] Septembre......	IB 5 000 à			
[1] Décembre.......	20 000/T			Moitié tourbe + moitié sable.
	IB 50/24			

Berchemia. Necker (Rhamnacées). — Arbuste volubile de plein air.
Bouturage de rameaux aoûtés ou herbacés, ou de tronçons de racines. Semis. Greffage.

Bertolonia. Raddi (Mélastomacées). — Serre chaude.
Bouturage des têtes de plantes à la fin de l'hiver avec chaleur de fond.

Beschorneria. Kunth (anciennement Liliacées, maintenant Agavacées). — Serre froide et plein air dans le Midi et dans l'Ouest.
Comme les Agaves.

Besleria. Plumier ex-Linné (Gesnéracées). — Serre chaude.
Bouturage facile à chaud.

Betonica. Tournefort ex-Linné (Labiées). — Plein air.
Multiplication par éclats, en automne ou au printemps.

Betula. Tournefort ex-Linné (Bétulacées) : BOULEAU. — Plein air.
Semis. Greffage. Marcottage de rameaux demi-herbacés. Bouturage difficile.

BETULA PENDULA :

[2] Juillet..........	$H_2O/32$	0	38
	IA 50/32	25	
[2] Juillet..........	$H_2O/24$	0	
	IA 100/24	21	

BETULA PUBESCENS :

[2] Juillet..........	$H_2O/24$	8	65
	IA 100/24	70	

Bibacier. — Voir *Eriobothrya.*

Bidens. (Tournefort) Linné (Composées Radiées). — Plein air.
Semis. Bouturage ou division de souche.

Bigaradier. — Voir *Citrus.*

Bignonia. (Tournefort) Linné (Bignoniacées). — Plein air et serres.
Semis. Greffage. Marcottage. Bouturage de rameaux ligneux ou demi-ligneux.

Billardiera. Smith (Pittosporacées). — Serre froide.
Multiplication de boutures en hiver, en serre tempérée et, pendant l'été, à froid, sous verre.

Billbergia. Thunberg (Broméliacées). — Serre tempérée.
Séparation des drageons. Voir *Æchmea* et *Broméliacées.* Les œilletons doivent être bien développés avant la séparation.

Biota. D. Don (Conifères Cupressinées). — Plein air.
Semis. Greffage. Bouturage en automne en serre à multiplication tempérée (rameaux ligneux).

Bixa. Linné (Bixacées) : ROUCOUYER. — Serre chaude.
Bouturage facile dans le sable, à l'étouffée.

Blandfordia. Smith (Liliacées). — Serre froide.
Division des rhizomes pendant la période de repos.

Blechnum. Linné (Fougères). — Plein air ou serre tempérée.
Division des souches.

Blephilia. Rafinesque (Labiées). — Plein air.
Division des souches au début du printemps, comme pour les *Monarda.*

Bocconia. Plumier ex-Linné (Papavéracées). — Plein air.
Multiplication par morceaux de drageons plantés peu profondément.

Bœhmeria. Jacquin (= *Urtica,* Tournefort) (Urticacées). — Serre tempérée ou plein air.
Bouturage à bois dur dépourvu de feuilles et à l'herbacé, au printemps et en été.

Boltonia. L'Héritier (Composées, Radiées). — Plein air.
Multiplication des *Aster.*

Bomarea. Mirbel (anciennement Amaryllidacées, ou Alstrœmeriacées, selon Hutchinson). — Plein air ou demi-rustiques.
A multiplier comme les *Alstrœmeria.*

Bombax. Linné (Malvacées, Bombacées). (Grands arbres voisins des Baobabs FROMAGER). — Serre tempérée.
Bouturage avec bois tendre ou demi-aoûtée, avec talon (chaleur de fond).

Borago. Linné (*Borrago,* Tournefort) (Boraginacées) : BOURRACHE. — Plein air.
Pour les espèces vivaces, division des touffes au printemps, ou boutures herbacées sous châssis froid.

Boronia. Smith (Rutacées Diosmées). — Serre froide.

Bouturage en janvier-février, en serre tempérée, sous verre (les boutures craignent les arrosages intempestifs, surtout l'hiver).

Mlles Guichard sœurs, les excellentes spécialistes de plantes de Nouvelle-Zélande, à Nantes, bouturent dans de la terre de bruyère, en très petits godets enfoncés dans la tannée d'une serre à peine chauffée. La tannée est arrosée modérément autour des pots et dégage une très douce chaleur de fond. Les groupes de godets sont étouffés sous de grandes cloches basses qu'on soulève seulement pour essuyer la buée à l'intérieur. On rempote à partir d'avril et on sort les plantes peu à peu sous châssis, puis à l'air libre.

BORONIA ELATOR :

[2] Janvier.........	T	20 (1)	
	IB 13/18	100 (2)	69

Boucerosia. Wight et Arnott (Asclépiadacées). — Serre tempérée; plein air sur la Côte d'Azur.

Comme les *Stapelia.*

Bougainvillea. Commerson ex-Jussieu (Nyctaginacées). — Serre tempérée, plein air, entre Nice et Menton.

Bouturage facile au printemps, en serre tempérée, à l'herbacée, ou à bois dur pendant tout l'été.

BOUGAINVILLEA GLABRA « SANDERIANA » :

[2] —	H_2O/24	0		
	IB 80 BTI/24	80	22	10 cm de long, 2 à 4 feuilles.
	NA 100/18	30	22	

BOUGAINVILLEA GLABRA « CRIMSON LAKE » :

[2] —	H_2O/24	70		
	IB 20/T	90	28	Bouture de feuille avec portion de tige.

BOUGAINVILLEA GLABRA « WHITE » :

[2] Août...........	T	0		
	IB 2 000/- trempe 5 s.	90	40	Jeune pousse feuillée.

Bouleau. — Voir *Betula.*

Bourdaine. — Voir *Rhamnus.*

Boussaingaultia. Humboldt, Bonpland et Kunth (Chénopodiales, Basellacées). — Serre froide.

Bouturage très facile, à bois tendre, sur couche froide tout l'été, rentrer les tubercules l'hiver, dans le Nord de la France.

Bouvardia. Salisbury (Rubiacées Cinchonées). — Serre tempérée et plein air en été.

Bouturage : de pousses herbacées prises sur pieds rabattus et chauffés en serre à la fin de l'hiver, ou de grosses racines coupées par tronçons de 1 à 2 cm de long en terre légère.

Division de touffes au printemps.

Brachychiton. Schott et Endlicher (Sterculiacées). — Serre froide et plein air, surtout dans le Midi.

Bouturage de pousses herbacées, à chaud en sol sans calcaire.

Brachysema. R. Brown (Papilionacées). — Serre froide.

Bouturage froid, en juillet, en plein air, sous cloche à l'abri.

Brimeura. Salisbury (= *Hyacinthus amethystinus*, Liliacées Scillées). — Plein air.
Séparation des bulbes. Bouturage de feuilles, comme les *Endymion.*

Brodiæa. Smith (Liliacées). — Serre froide et plein air.
Séparation des bulbes.

Broméliacées. — Serres, parfois plein air dans le Midi.
Semis. Séparations d'œilletons.

Broussonetia. L'Héritier ex-Ventenat (Urticacées Morées). — Plein air.
Semis. Greffage. Bouturage de racines ou de rameaux ligneux. Marcottage.

Browallia. Linné (Solanacées). — Plein air en été, serre froide et appartements.
Semis. Bouturage en automne avec hivernage en serre froide.

Brownea. Jacquin (Légumineuses Cœsalpiniées). — Serre tempérée.
Semis. Marcottage en l'air. Bouturage sous cloche avec chaleur de fond.

Brugmansia. Persoon (Solanacées). — Serre froide et orangerie.
Bouturage en serre tempérée facile à l'herbacé, de mai à septembre.

Brunella. Tournefort ex-Linné (= *Prunella* L.), (Labiées). — Plein air.
Division en automne ou au printemps.

Brunfelsia. Plumier ex-Linné (= *Franciscea*) (Scrofulariacées Salpiglossées). — Serre tempérée.
Bouturage possible.

Brunschvigia. Heister (Amaryllidacées). — Plein air dans le Midi.
Séparation des caïeux assez tôt en été.

Bruyères. — Voir *Erica.*

Bryonia. Linné (Cucurbitacées). — Plein air.
Division et boutures de racines.

Bryophyllum. Salisbury (Crassulacées). — Serre tempérée.
Bouturage des rameaux feuillés très facile, à l'air libre de la serre, sans étouffer.
Multiplication très facile par les feuilles.

B. calycinum : La feuille coupée émet des proliférations dans tous les crans du limbe.

Chez *B. crenatum*, le même phénomène se produit avant même que la feuille soit séparée du rameau qui la porte.

(Le fameux livre de Jacques Loeb sur la « régénération » est entièrement consacré à ses expériences sur le bouturage du *B. calycinum*).

Buddleia. Houston ex-Linné (Loganiacées). — Plein air.
Bouturage de rameaux ligneux en plein air, ou de pousses herbacées sous verre.

Buddleia alternifolia :

[2] Août...........	H_2O/15	63 (3)		
	IA 100/15	93 (10)	66	
[3] Août...........	IB 8 000/T			Boutures demi-herbacées avec talon et incision.

Bugle. — Voir *Ajuga.*

Buis. — Voir *Buxus.*

Bulbocodium. Linné (Liliacées Colchicées). — Plein air.
En automne, séparation des bulbes.

Buphtalmum. Linné (Composées Radiées). — Plein air.
Multiplication par division de touffes en automne ou au printemps.

Bupleurum. (Tournefort) Linné (Ombellifères). — Plein air.
Séparation d'éclats chez les espèces vivaces et herbacées (jardin de rocailles).
Marcottage pour l'espèce ligneuse *B. fructicosum* L. qui peut aussi se bouturer difficilement.
Semis.

Burchellia. Robert Brown (Rubiacées Gardéniées). — Serre froide.
Bouturage très facile de branches terminales, en serre tempérée, au printemps ou en juillet, en plein air dans un endroit abrité.
Le marcottage réussit très bien.

Bursera. Jacquin ex-Linné (Burséracées) : Gomart. — Serre chaude.
Bouturage à l'étouffée et à chaud.

Butomus. Linné (Butomacées). — Plein air, aquatique.
Division des souches pendant la période de repos.

Buxus. Linné (Euphorbiacées Buxées) : Buis. — Plein air.
Bouturage de rameaux ligneux. Marcottage. Éclatage des touffes pour le buis à bordures (*B. suffructicosa*).

Buxus sempervirens :

[2] Octobre	T	33	70
	IB 30-50/20	70	70

Buxus sempervirens « Handsworthin » :

[2] Octobre	T	70	70
	IB 30/20	100	70

Cabomba. Aublet (Nymphacées Cabombées). — Aquarium tempéré ou tiède.
Multiplication facile par division des touffes.

Cacalia. Linné (Composées Radiées). — Serre froide.
Bouturage comme pour les *Senecio* à tige charnue.

Cactacées ou **Cactées.** — Nombreux genres. Serre tempérée ou froide.
Les boutures doivent être enlevées avec un couteau tranchant, de préférence au niveau d'une articulation, et laissées quelque temps à l'air sec avant de replanter en terre légère modérément arrosée.

Cæsalpinia. Linné (Légumineuses Cæsalpiniées). — Plein air, à l'abri ou serres, selon espèces.
Bouturage difficile, par rameaux feuillés, en pleine végétation, à chaud et à l'étouffée.

Caféier. — Voir *Coffea.*

Cajophora. Presl (= *Loasa*) (Loasacées). — Serre tempérée; plein air l'été.
Bouturage.

Caladium. Ventenat in Rœmer (Aracées). — Serre chaude.
Division des rhizomes au printemps, pendant le repos de la végétation.

Calamintha. (Tournefort) Lamarck (Labiées). — Plein air.
Multiplication par séparation d'éclats.

Calathea. G. F. Meyer. — Voir *Maranta.*

Calceolaria. Linné (Scrofulariacées). — Serre froide ou plein air en été.
Calcéolaires annuelles : Semis.
Calcéolaire rugueuse : Bouturage sous châssis et hivernage sur place (sol non calcaire ni trop compact).

Calla. Linné (Aracées). — Plein air; aquatique.
Voir : *Zantedeschia.*

Callicarpa. Linné (Verbénacées). — Plein air et serre froide.
Semis. Marcottage ou bouturage de rameaux ou de racines.

CALLICARPA DICHOTOMA :

[2] Juillet..........	T	87	
	IB 30-100/20	100	14
[2] Août...........	T	72	
	IB 5-60/24	100	19

Callirhoe. Nuttal (Malvacées). — Plein air.
Bouturage en été, de rameaux herbacés, en sol léger, sous châssis froid, pour les espèces vivaces.

Callistemon. Robert Brown (Myrtacées Leptospermées). — Serre froide.
Bouturage en hiver de branches bien aoûtées en serre, à multiplication tempérée, sous verre (*C. lanceolatus* sert comme porte-greffe).

Callitris. Ventenat (Conifères Cupressinées) : ARBRES A SANDARAQUE, « THUYA » en Algérie. — Plein air.
Semis. Greffage sur *Biota* ou *Cupressus.* Bouturage de tiges tronçonnées par morceaux de quelques centimètres, en serre tempérée; ou de branchettes.

Calluna. Salisbury (Éricacées) : Bruyère Commune. — Plein air.
Voir *Erica.*

Calocephalus. R. Brown (Composées). — Serre froide; plein air et mosaïculture en été.
Bouturage facile.

Calochortus. Pursh (Liliacées Tulipées). — Serre froide, plein air dans le Midi.
Séparation des caïeux pendant le repos de la végétation et par les fréquentes bulbilles portées sur les tiges.

Caltha. Linné (Renonculacées) : Populage, Souci d'Eau. — Plein air.
Bouturage facile des jeunes rameaux, et surtout division des souches.

Calycanthus. Linné (Calycanthacées). — Plein air.
Semis. Marcottage de rameaux herbacés et de racines. Bouturage sous verre (difficile).

Calycanthus occidentalis :

[2] Juin............	$H_2O/20$	0		
	IA 100/20	0	32	Bois dur.
[2] Juin............	$H_2O/20$	0		
	IA 200/20	63 (14)	32	Bois tendre.

Calystegia. Robert Brown (Convolvulacées, Convolvulées). — Plein air.
Tronçonnement des tiges souterraines.

Camassia. Lindley (Liliacées Scillées). — Plein air.
Semis. Division des caïeux en automne (les feuilles elles-mêmes peuvent, avec du soin, donner des bulbilles comme celles des *Endymion*).

Camellia. Linné (Théacées). — Serre froide.
Bouturage de rameaux demi-ligneux (reprise lente). Semis. Greffage.

Camellia japonica et sasarqua :

[3] Août...........	IB 4 000/T	Bouture d'œil avec feuille. 3 parties tourbe + 1 partie sable.

Campanula. (Tournefort) Linné (Campanulacées). — Plein air.
Division des touffes pour les espèces vivaces.

Camptosema. Hooker et Arnott (Papilionacées). — Serre froide; plein air dans le Midi.
A traiter comme les *Kennedya.*

Campylobotris. Lemaire (= *Hoffmannia* Swartz) (Rubiacées). — Serre chaude et humide.
Bouturage en tout temps, surtout en hiver en serre chaude.

Canarina. Linné (Campanulacées, Wahlenbergiées). — Serre froide; plein air dans le Midi.
Bouturage de pousses herbacées en été, sous verre, ou de tronçons de racines ressuyés et plantés en terre légère.

Canavalia. De Candolle (Papilionacées). — Plein air dans le Midi.
Voir : *Dolichos* (même culture).

Candollea. Labillardière (Dilléniacées). — Serre tempérée.
Bouturage facile, comme les *Hibbertia.*

Canella. R. Brown (Canellacées) : Canellier. — Serre chaude.

Bouturage de pousses bien aoûtées, prises au-dessus d'un nœud à chaud et à l'étouffée, au printemps de préférence, avec du gros et vieux bois, et sans supprimer de feuilles.

Canna. Linné (Scitaminales, Cannacées). — Plein air en été.

Division des rhizomes au printemps : laisser ressuyer les plaies et faire raciner sur couche tiède.

Pour conserver les souches durant l'hiver, les arracher et les entreposer au sec sans secouer la terre adhérente.

Canne à Sucre. — Voir *Saccharum.*

Canne de Provence. — Voir *Arundo.*

Cantua. Jussieu (Polémoniacées). — Serre froide.

Bouturage de branches aoûtées, au mois de mars et en serre tempérée.

Caoutchouc des jardiniers. — Voir *Ficus elastica.*

Capillaire. — Voir *Adiantum.*

Capparis. Tournefort (Capparidacées) : Caprier. — Serre froide.

Marcottage avec strangulation et sevrage dès que les racines apparaissent.

Bouturage de tronçons de tiges en serre tempérée, au printemps.

Capucine. — Voir *Tropæolum.*

Caragana. Lamarck (Papilionacées) : Acacia de Sibérie. — Plein air.

Division de touffes. Marcottage. Bouturage de racines et de rameaux. Semis. Greffage.

Caraguata. (Plumier) Lindley (Broméliacées). — Serre chaude.

Sectionnement des œilletons lorsqu'ils sont forts et bien enracinés.

Cardamine. (Tournefort) Linné (Crucifères). — Plein air.

Division de touffes au début du printemps. Il y a formation normale de proliférations aux ramifications des nervures des folioles sur les vieilles feuilles de *C. pratensis* L. en station très humide, ou par isolement.

Carex. (Dillenius) Linné (Cypéracées) : Laiche. — Plein air.

Multiplication très facile par division des touffes cespiteuses, ou isolement des drageons racinés chez les espèces traçantes.

Carica. Linné (Passifloracées Papayacées) : Papayer. — Serre chaude.

Multiplication facile par boutures feuillées sur couche tiède et à l'étouffée.

Carissa. Linné (Apocynacées).

	Carissa grandiflora :		
[2] Juillet..........	T	20 (2)	
	IA 100/24	60 (10)	20

Carludovica. Ruiz et Pavon (Cyclanthacées). — Serre chaude.

Division des bourgeons qui naissent à la base de la souche.

Carolinea. Linné. — Voir *Pachira.*

Carpenteria. Torrey (Saxifragacées). — Plein air avec abri.

Multiplication facile par marcottage et par bouturage de rameaux herbacés. Semis.

Carpinus. Linné (Corylacées) : CHARME. — Plein air.
Semis. Greffage. Marcottage de rameaux herbacés.

Carrierea. Franchet (Bixacées). — Plein air.
Bouturage possible.

Carya. Nuttal (Juglandacées) : NOYER HICKORY, PACANIER (*C. olivæformis* Nutt). — Plein air.
Semis. Greffage. Bouturage possible avec auxines.

CARYA PECAN « POSEY » :

[2] Avril...........	T	0	
	IB 100/24	63	Bois de 2 à 4 ans.

Caryophyllus aromaticus. Linné (= *Eugenia* L.) (Myrtacées) : GIROFLIER. — Serre chaude.
Bouturage difficile et lent.

Caryopteris. Bunge (Verbénacées). — Plein air.
Division des touffes, ou boutures demi-aoûtées, sous verre à froid, en automne Semis.

Caryota. Linné (Palmiers). — Serre tempérée ou chaude.
Multiplication aisée par drageons.

Casimiroa. La Llave et Lexazza (Rutacées). — Plein air dans le Midi.
Jusqu'ici considéré comme non bouturable. Le greffage seul semble avoir été réussi en Amérique.

Cassandra. D. Don (Éricacées). — Plein air.
Marcottage comme pour les *Andromeda.*

Cassia. Tournefort ex-Linné (Légumineuses Cœsalpiniées). — Serre froide.
Bouturage au printemps par branches aoûtées en serre tempérée.

Cassiope. D. Don (Éricacées). — Plein air.
Comme les *Andromeda.*

Cassis. — Voir *Ribes.*

Castanea. Gaertner (Fagacées) : CHATAIGNIER. — Plein air.
Semis. Greffage, Marcottage de rameaux herbacés. Bouturage de rameaux ligneux.

Casuarina. Linné (Casuarinacées) : FILAO. — Serre tempérée ou froide; plein air dans le Midi, parfois dans l'Ouest.
Bouturage comme les *Biota* et les *Araucaria*, en avril, dans du sable et sous cloche.

Catalpa. Scopoli (Bignoniacées). — Plein air.
Bouturage de rameaux ou de tronçons de racines. Marcottage en butte. Semis. Greffage.

Catananche. Linné (Composées Cynarocéphales) : CUPIDONE. — Plein air sous abri.
Division des souches.

Cattleya. Lindley (Orchidacées). — Serre chaude.
Voir *Orchidacées.*

Ceanothus. Linné (Rhamnacées). — Plein air.

Semis. Greffage. Marcottage de rameaux demi-herbacés avec incision ou torsion.

Bouturage de pousses herbacées, sous verre, avec auxines.

CEANOTHUS CYANEA « SAN DIEGO » :

[2] Mai...........	IA 200/24	25 (11)	39	Bois dur.
	H_2O/24	0	39	Bois tendre.
	IA 200/24	91 (3)	39	

CEANOTHUS × BURKWOODI :

[2] Mai...........	T	25 (1)	
	IB 50/20	75 (8)	57

CEANOTHUS × DELILIANUS « MARIE SIMON »

[2] Juillet..........	H_2O/24	60	
	IA 100/24	100	30

CEANOTHUS (VARIÉTÉS) :

[1] Mars ou septembre..........	IA 2 500-10 000/T	Boutures herbacées (sans incision), tourbe plus sable.

Cedrela. P. Brown (Méliacées Cédrélées). — Plein air.

Séparation des drageons. Bouturage de rameaux ou de tronçons de racines. Semis.

Cedrus. (Tournefort) Miller (Conifères) : CÈDRES. — Plein air.

Semis. Greffage.

Celastrus. Linné (Célastracées). — Plein air.

Semis. Bouturage de racines ou de rameaux. Marcottage de rameaux herbacés.

CELASTRUS SCANDENS :

[2] Juillet..........	H_2O/6	0	
	IB 30/6	100	50

Celtis. Tournefort ex-Linné (Urticacées Celtidées) : MICOCOULIER. — Plein air.

Semis. Greffage. Drageonnage. Marcottage et bouturage possibles.

Centaurea. Linné (Composées Cynarocéphales) : CENTAURÉE, BARBEAU. — Plein air ou serre froide.

Espèces diverses vivaces : Division de souches.

Centaurea cineraria : Semis, bouturage en été.

Centradenia. G. Don (Mélastomacées Mélastomées). — Serre tempérée.

Bouturage de branches herbacées, en serre tempérée, pendant tout l'été.

Centranthus. De Candolle (Valérianacées) : JASMIN D'ESPAGNE. — Plein air; vieux murs, rocailles.

Division des souches.

Centropogon. Presl (Lobéliacées). — Serre tempérée.

Bouturage facile de rameaux herbacés, au printemps ou en été, en serre tempérée.

Cephælis. Swartz (Rubiacées) : IPECACUANHA. — Serre chaude.

Bouturage de bois jeune, mais bien aoûté, à chaud et à l'étouffée.

Cephalanthus. Linné (Rubiacées) : BOIS BOUTON. — Plein air.

Semis. Marcottage de rameaux herbacés. Division. Bouturage de racines ou de rameaux demi-herbacés.

CEPHALANTHUS OCCIDENTALIS :

[2] Juillet..........	$H_2O/24$	100 (6)		
	IA 20-200/24	100 (55)	31	Pousses tendres.

Cephalotaxus. Siebold (Conifères Taxacées). — Plein air.

Semis. Greffage. Bouturage de rameaux ligneux.

CEPHALOTAXUS FORTUNEI « ROBUSTA » :

[2] Mars...........	IB 150/16	80 (8)	85	Tige entaillée à la base sur 1 ou 2 cm de long. Boutures complètement trempées dans la solution.

CEPHALOTAXUS DRUPACEA :

[2] Avril...........	$H_2O/24$	13		Boutures de 10 cm avec
	NA 10 BTI/24	100	56	2 et 4 feuilles.

Cephalotus. Labillardière (Saxifragacées). — Serre tempérée humide.

Division de touffes avant la reprise de la végétation.

Cerastium. (Dillenius) Linné (Caryophyllacées Alsinées) : GAZON D'ARGENT. Plein air.

Division de touffes au printemps.

Cerasus (Tournefort) Linné (Rosacées, Amygdalées) : CERISIERS et PRUNIERS. Plein air.

Voir *Prunus.*

Ceratonia. Linné (Légumineuses Cæsalpiniées). — Orangerie; plein air sur la Côte d'Azur.

Bouturage de pousses aoûtées sous cloche.

Cerastostigma. Bunge (Plombaginacées). — Plein air.

Voir *Plumbago.*

Ceratozamia. Brongniard (Cycadacées). — Serre froide, plein air dans le Midi.

Séparation de drageons.

Cerbera. Linné (Apocynacées). — Serre chaude.

Bouturage à chaud et sous verre.

Cercis. Linné (Légumineuses Cæsalpiniées) : GAINIER, ARBRE DE JUDÉE. — Plein air.

Semis. Marcottage et bouturage de rameaux demi-herbacés.

CERCIS CANADENSIS ET CHINENSIS :

[2] Juin-juillet......	T	75-90	28	Bois tendre.

Cereus. Miller (Cactacées) : CIERGES. — Serre tempérée.

Voir *Cactacées.*

Cerisier. — Voir *Cerasus.*

Ceropegia. Linné (Asclépiadacée Pergulariées). — Serre tempérée.

Séparation de tubercules ou rameaux enracinés.

Cestrum. Linné (Solanacées). — Serre tempérée.
Bouturage à bois tendre ou demi-aoûté, dès le printemps, en serre tempérée, et pendant tout l'été.

Chænomeles. Lindley (Rosacées) : Cognassier du Japon. — Plein air.
Marcottage. Boutures de rameaux demi-herbacées et de racines. Semis. Greffage.

Chænomeles lagenaria :

[2] Juin............	H_2O/18	56 (2)		
	NA 10/18	63 (4)	62	Bois tendre, sous cloche, en tourbe et sable.
[2] Décembre.......	H_2O/6	20		
	IB 40/6	52	60	

Chænomeles (diverses espèces) :

[1] Juin-juillet......	IB 10 000/T			Avec incision, tourbe + sable.

Chænostoma. Bentham in Hooker (Scrofulariacées). — Serre froide.
Multiplication par boutures, en serre tempérée, au printemps.

Chamæcerasus (Joli Bois). — Voir *Lonicera*.

Chamæcyparis. Spach (Conifères, Cupressacées). — Plein air.
Bouturage de rameaux ligneux sous verre. Semis. Greffage.

Chamæcyparis Lawsoniana :

[2] Septembre......	T	4 (2)	47	
	IA 100/15	84 (8)		

Chamæcyparis obtusa « compacta » :

[2] Novembre......	T	40	84	
	IB 100/20	90		

Chamæcyparis obtusa « aurea » :

[2] Novembre......	H_2O/24	20 (1)	87	Boutures de 10 à 15 cm, sable fin de fond : 21 °C.
	IB 60/24	100 (8)		
	NA 80/24	76 (5)		

Chamæcyparis Lawsoniana, obtusa et pisifera (variétés) :

[3] —	IB 4 000 à 8 000/T			Base incisée. Tourbe + sable.

Chamærops. Linné (Palmiers). — Plein air sous abri.
Semis. Séparation des drageons.

Châtaignier. — Voir *Castanea*.

Cheiranthera. Brongniard (Pittosporacées). — Plein air.
Bouturage.

Cheiranthus. Linné (Crucifères) : Giroflées, Violier, Ravenelle. — Plein air.
Multiplication ordinairement par semis. Bouturage pour belles variétés stériles.

Chelone. Linné (Scrofulariacées) : Galane. — Plein air, abri en hiver.
Bouturage facile en septembre sous verre. Séparation de drageons ou d'éclats.

Chervis. — Voir *Sium*.

Chèvrefeuille. — Voir *Lonicera*.

Chimonanthus. Lindley (Calycanthacées). — Plein air.
Marcottage avec incision, en deux ou trois ans. Voir aussi *Calycanthus*.
Bouturage difficile.

Chionanthus. Royer (Oléacées). — Plein air avec abri.
Bouturage difficile. Greffage. Marcottage de rameaux demi-herbacés. Semis.

Chionodoxa. Boissier (Liliacées Scillées). — Plein air.
Multiplication facile par séparation des caïeux.

Chirita. Hamilton (Gesnéracées). — Serre tempérée.
Bouturage de rameaux ou de feuilles comme les *Gloxinia*, en serre tempérée, pendant tout l'été; avec des feuilles bien aoûtées.

Chironia. Linné (Gentianacées). — Serre tempérée.
Bouturage au printemps, sous verre, à bois tendre.

Chlidanthus. Herbert (Amaryllidacées). — Plein air, sous abri.
Division des bulbes nés des caïeux.

Chlorophytum. Ker-Gawler (Liliacées Anthéricées). — Serre froide.
Voir *Anthericum*.

Chêne. — Voir *Quercus*.

Choisya. Hooker (Rutacées). — Serre froide, ou plein air à l'abri.
Bouturage de rameaux demi-herbacés, sous verre.

Chorisia. Humboldt, Bonpland et Kunth (Sterculiacées Bombacées). — Serre tempérée, plein air, sur la Côte d'Azur.
Bouturage de pousses demi-aoûtées, avec talon, à l'étouffée et à chaud.

Chorizema. H. P. et Kunth (Papilionacées). — Serre froide.
Bouturage, en été, de branches aoûtées sous verre, ou au printemps, de pousses herbacées en serre tempérée.

Chorizema Varium :

[2] Décembre.......	T	30 (1)	
	IA 100/22	100 (16)	28

Chrysanthemum. (Tournefort) Linné (Composées Radiées). — Serre froide et pleine terre.

Ch. frutescens : Voir *Anthemis*.

Ch. × *Hortorum* (*L. H. Bailey*) : Pour la plupart des variétés (non rustiques l'hiver) abriter des souches ou drageons, sous abris froids.

Conserver l'hiver en demi-repos (humidité modérée).

Bouturer de janvier à juin, en utilisant nécessairement les têtes des drageons puis les têtes des boutures enracinées.

Ne pas laisser « durcir » les pousses à bouturer : entretenir les pieds en végétation en chauffant légèrement (10-15°) avant le bouturage.

Pour faciliter la reprise, entretenir une chaleur de fond supérieure de 5° environ à l'atmosphère ambiante.

Pour le bouturage d'hiver, se garder d'une humidité excessive, pour celui de printemps, étouffer soigneusement les boutures pour éviter qu'elles ne fanent.

Chrysogonum. Linné (Composées). — Plein air.
Division de touffes.

Ciboulette. — Voir *Allium*.

Cichorium. Linné (Composées Chicoracées) : CHICORÉES. — Plein air.
La chicorée à grosses racines (Chicorée à café, Witloof ou Endive) reproduite commercialement par le semis, peut être multipliée par tronçons de racines.

Cimicifuga. Linné (Renonculacées Actées). — Plein air.
Division des souches facile en automne ou au début du printemps.

Cinchona. Linné (Rubiacées) : QUINQUINA. — Serre chaude.
Semis. Greffage des variétés améliorées. Bouturage possible.

CINCHONA SUCCIRUBIA :

[2] —	T	0		
	IB 500	100	30	Marcottage de pousses terminales.
	Trempage 5 secondes			

Cinéraire. — Voir *Senecio.*

Cinnamomum. (Tournefort) Linné (Lauracées) : CANNELLIER. — Serre chaude ou tempérée.
Bouturage difficile.

Cissus. Linné (Ampélidacées). — Voir *Ampelopsis.*

Cistus. Tournefort L. (Cistacées). — Serre froide, plein air dans le Midi.
Bouturage sous verre avec rameaux aoûtés ou demi-herbacés. Semis.
(Certains sont difficiles à bouturer, comme *C. Cyprius* Lam. et *C. ladaniferus* Lin.)

Citronelle. On désigne sous ce nom, le plus souvent le *Lippia Citriodora,* et parfois l'*Artemisia Abrotanum,* ou certains *Andropogon* à essence.

Citronnier. — Voir *Citrus.*

Citrus. Linné (Rutacées Aurantiées, ou Hespéridées) : AGRUMES. — Serre froide et orangerie, plein air dans le Midi.
Semis. Greffage le plus souvent (vigueur meilleure). Bouturage possible.
C. sinensis : Comme pour l'*Azalea indica.*
C. triptera (sujet à greffer) : Bouturage sous verre en août.
L'utilisation des auxines surtout avec double trempage et utilisation de l'aneurine permettrait de bouturer la plupart des espèces.

CITRUS AURANTIFOLIA « LIMA DA PERSIA » :

[2] Février.........	H_2O/24	100 (3)		Pousses feuillées mûres
	IA 200/24	100 (22)	23	de 15 cm.

CITRUS AURANTIUM « SOUS ORANGE » :

[2] Mars...........	H_2O/24	0		Pousses feuillées mûres
	IA 200/24	72 (3)	41	de 15 cm.

CITRUS BERGAMIA « BERGAMOT ORANGE » :

[2] Avril...........	H_2O/24	0		Pousses feuillées mûres
	IA 200/24	80 (3)	34	de 15 cm.

CITRUS GRANDIS « CONNER'S GRAPFRUIT »

[2] Février.........	H_2O/24	0		Pousses feuillées mûres
	IA 200/24	70 (3)	40	de 15 cm.

	CITRUS LIMONIA « EUREKA » :			
[2] Juin...........	T	90 (4)		
	IA 900/24	100 (13)	42	
[2] Octobre........	H_2O/24	26 (1)		Boutures de feuilles avec
	IA 100/24	86 (3)		œil axillaire.
[2] Décembre.......	H_2O/24	25 (2)		
	IA 200/24	97 (9)	21	Pousses feuillées.
[2] Décembre.......	IA 200/24 + B^1 1/24	100 (16)	21	Pousses feuillées + vitamine B^1 (1 partie par million pendant 4 h).
	CITRUS MEDICA :			
[2] Août...........	T	0		
	IB 2 000/5 s	100	31	Pousses feuillées.

Clavija. Ruiz et Pavon (Myrsinacées). — Serre tempérée chaude.
Bouturage en hiver sur chaleur de fond (difficile). Marcottage (reprise en six mois).

Claytonia. Gronovius ex-Linné (Portulacacées). — Plein air.
Séparation de rejets à l'automne ou au printemps.

Clématis. Dillenius ex-Linné (Renonculacées, Clémacidées) : CLÉMATITES. — Plein air.

Cl. herbacées : Division des souches.

Cl. ligneuses : A petites fleurs : marcottage ou bouturage de rameaux herbacés ou ligneux (reprise lente). Semis; à grandes fleurs : Le plus souvent greffage sur racine de *Cl. viticella.*

	CLÉMATIS HYBRIDES DIVERSES :	
[1] Mai-juin........	NA 1 000/T	Avec incision. Tourbe + sable.

Cleome. Linné (Capparidacées). — Plein air.
Semis. Bouturage des espèces frutescentes par rameaux aoûtés à chaud et à l'étouffée.

Clerodendron. Linné (Verbénacées Viticées). — Serre tempérée et plein air, selon les espèces.
Semis. Division. Bouturage de tiges ou de racines tronçonnées sous verre, à froid ou en serre, suivant les espèces.

Clethra. Gronovius ex-Linné (Éricacées Éricées). — Serre froide ou plein air.
Semis. Marcottage de rameaux herbacés. Bouturage sous verre.

	CLETHRA ALNIFOLIA :		
[2] Juin...........	IB 10/24	100	20

Clianthus. Bauhin et Solander (Papilionacées Galégées). — Serre froide, plein air dans l'Ouest et le Midi.

C. Dampierri : Semis. Greffage possible sur *Colutea.*

C. punicens : Bouturage en automne ou fin d'hiver en serre tempérée avec rameaux aoûtés.

Clidemia. D. Don (Mélastomacées). — Serre chaude.
Bouturage des têtes. — Voir *Cyanophyllum.*

Clintonia. Rafinesque (Liliacées). — Plein air.
Division des touffes au printemps.

Clivia. Lindley (= *Imantophyllum*) (Amaryllidacées). — Serre froide.
Semis. Division des rhizomes après la floraison.

Clusia. Linné (Clusiacées). — Serre chaude.
Bouturage possible.

Cneorum. Linné. — Voir *Daphne Cneorum* ou *Thymelæa.*

Cobæa. Cavanilles (Polémoniacées). — Serre tempérée froide, plein air en été et dans le Midi.

Semis.

C. scandens fol. variegatis : Bouturage de rameaux demi-aoûtés, en serre tempérée.

Coccoloba. Linné (Polygonacées) : RAISINIER. — Serre chaude.
Bouturage en serre chaude, à l'étouffée de branches demi-aoûtées en été, prises sur pieds-mères recépés.

Coccosypselum. Swartz (Rubiacées Gardéniées). — Serre chaude.
Bouturage en été en serre chaude.

Cocculus. De Candolle (Ménispermacées). — Serre froide, plein air dans le Midi.
Bouturage à chaud et à l'étouffée, de rameaux demi-aoûtés, en automne ou au printemps; enracinement facile.

COCCULUS LAURIFOLIUS :

[2] —	H_2O/24	10		Feuille avec œil axillaire,
	IB 40/24	100	21	en mélange demi-sable + demi-tourbe (très humide).

Cochlearia. Tournefort ex-Linné (Crucifères). — Plein air, au potager.

Cochlearia Armoracia L. RAIFORT : Multiplication par tronçons de racines, au printemps.

Cochliostema. Linné (Commelinacées). — Serre chaude.
Bouturage de pousses latérales, placées sur chaleur de fond, en serre chaude.

Codiæum. Rumphius (Euphorbiacées Crotonées) : CROTON. — Serre chaude.
Bouturage toute l'année et surtout l'hiver, à bois demi-aoûté, sur chaleur de fond et en serre chaude (facile).

Les feuilles seules s'enracinent facilement, mais ne donnent pas de pousses.

Coffea. Linné (Rubiacées) : CAFEIER. — Serre tempérée.
Semis dès la récolte. Les graines non stratifiées ne lèvent que rarement.

C. arabica foliis variegatis : Bouturage au printemps, en serre à multiplication chaude. Marcottage toute l'année.

COFFEA ARABICA:

[2] —	H_2O/18	7		
	IA 100/18	79	63	Boutures de 10 cm, avec deux feuilles, en pleine végétation.

COFFEA ROBUSTA :

[2] Septembre......	T	0		Bois tendre.
	IB 56/24	80	47	Bois tendre.

Cognassier. — Voir *Cydonia.*

Cognassier du Japon. — Voir *Chænomeles.*

Cola. Schott (Sterculiacées) : COLA. — Serre chaude.
Bouturage de pousses aoûtées, à chaud et à l'étouffée.

Colchicum. Linné (Liliacées Colchicées) : COLCHIQUE. — Plein air.
Division des bulbes en été.

Coleonema. Bartling (Rutacées Diosmées). — Serre froide.
Comme les *Diosma.*

Coleus. Loureiro (Labiées Ocymoïdées). — Serre chaude ou tempérée, plein air en été.
Multiplication des *Iresine* et *Alternanthera.*

Colletia. Commerson ex-Jussieu (Rhamnacées). — Serre froide, plein air dans le Midi et dans l'Ouest.
Semis. Bouturage de rameaux ligneux et demi-ligneux.

Colocasia. Schott (Aracées) et **Alocasia.** Schott. — Serre tempérée et chaude.
Bouturage facile de tronçons de tige.

Columnea. Plumier ex-Linné (Gesnéracées). — Serre tempérée.
Bouturage à l'herbacé, facile toute l'année, en serre tempérée.

Colutea (Tournefort) Linné (Papilionacées) : BAGUENAUDIER. — Plein air.
Semis. Bouturage de rameaux ligneux. Marcottage. Greffage.

Colvillea. Bojer ex-Hooker (Légumineuses Cæsalpiniées). — Serre tempérée.
« *Flamboyant de Madagascar* » : Voir à *Poinciana*, le genre typique des Flamboyants.
Peut se bouturer.

Combretum. Linné (Combrétacées). — Serre tempérée ou chaude.
Bouturage, en serre chaude, au printemps et en été.

Commelina. Plumier ex-Linné (Commélinacées). — Serre froide ou tempérée.
Multiplication par souches tubéreuses chez *C. tuberosa*, et par boutures en serre tempérée ou chaude en été, chez les autres espèces (facile).

Comptonia. Banks (Myricacées). — Plein air.
Division des rejets et marcottage au printemps, en terre de bruyère, à mi-ombre.

Concombre. — Voir *Cucumis.*

Conoclinium. De Candolle. — Voir *Eupatorium.*

Convallaria. Linné (Liliacées Asparaginées) : MUGUET. — Plein air.
Division des rhizomes en automne.

Convolvulus. (Tournefort) Linné (Convolvulacées) : LISERON. — Plein air.
Bouturage de pousses herbacées ou de racines, pour les espèces vivaces.

Cooperia. Herbert (Amaryllidacées). — Plein air sous abri.
Comme les *Zephyranthes.*

Coprosoma. Forster (Rubiacées). — Serre froide; plein air dans le Midi.
Bouturage facile avec talon de vieux bois, sur bonne chaleur de fond; bien drainer et arroser modérément. Marcottage.

Corchorus. Nom donné à tort dans les jardins au *Kerria.* — Voir *Kerria.*

Cordia. Linné (Boraginacées). — Serre chaude ou tempérée.
Bouturage facile à chaud et à l'étouffée.

Cordyline. Rogers (Liliacées Dracœnées). — Serre tempérée ou froide.
Séparation des turions lors du rempotage d'automne. Bouturage des têtes de plantes. Couchage de la tige en bâche à multiplication, puis bouturage à talon des rejets (serre tempérée chaude).

Coriaria. Niss ex-Linné (Coriariacées) : Redoul, Corroyere. Plein air sous abri.
Semis, division. Bouturage et marcottage de rameaux demi-herbacés. Bouturage de racines.

Cornus. (Tournefort) Linné (Cornacées) : Cornouillers. — Plein air.
Séparation de drageons. Bouturage de rameaux ligneux ou herbacés et de racines.
Les *C. Nuttallii* et *macrophylla* reprennent difficilement. Greffage sur *C. mas* ou *C. sanguinea,* marcottage en butte.

Cornus alba :

[2] Juin	T IB 50/24	0 80	 30	

Cornus florida :

[2] Juillet	IB 4 000/T	100	34	Bois tendre.

Cornus nutallii :

[3] Juin	IB 8 000/T			Boutures demi-herbacées, incisées. Tourbe + sable.

Corokia. A. Cunningham (Cornacées). — Plein air ou sous abri.
Bouturage et marcottage possibles à l'automne.

Coronilla. Tournefort ex-Linné (Papilionacées). — Serre froide et plein air.
Bouturage à bois aoûté pour le *C. glauca* en hiver, en serre tempérée ou en été, à froid, sous verre. Bouturage de rameaux ligneux ou herbacés, sous verre. Semis. Division.

Correa (Rutacées Diosmées). — Serre froide.
Bouturage avant l'hiver, comme pour l'*Azalea indica,* en serre tempérée, avec du bois bien aoûté. Greffage sur *C. alba.*

Cortaderia. Lemaire (Graminées) : Gynérium. — Plein air.
Division des souches.

Cortusa. Linné (Primulacées). — Plein air.
Division des touffes au début du printemps.

Corydalis. De Candolle (Fumariacées). — Plein air.
Séparation des tubercules ou des souches.

Corylopsis. Siebold et Zuccarini (Hamamélidacées). — Plein air.
Semis. Greffage sur *Hamamelis virginica.* Marcottage de rameaux herbacés Bouturage sous verre.

CORYLOPSIS :

[1] Juin-août.......	IB 20 000/T IB 50/24		Boutures herbacées incisées. Tourbe + sable.

Corylus. (Tournefort) Linné (Corylacées) : COUDRIER, NOISETIER. — Plein air.
Semis. Marcottage de tiges traçantes. Division. Bouturage avec auxines.

CORYLUS AVELLANA :

[2] Juin............	IB 5 000/T	75	100

Corynocarpus. Forster (Anacardiacées). — Serre tempérée.
Bouturage assez difficile (formation d'un cal, l'inciser). Marcottage avec incisions (un an).

Cotoneaster. Rupp (Rosacées Pomacées). — Plein air.
Semis. Marcottage. Bouturage sous verre, en automne, difficile pour : *C. Henryana, C. newryensis, C. pannosa, C. salicifolia Floccosa,* etc.

COTONEASTER MICROPHILLA :

[2] Octobre........	T	45	21
	IB 80/4	100	

COTONEASTER (DIVERSES ESPÈCES) :

[1] Été............	IB 10 000/T	Boutures demi-ligneuse. Tourbe + sable, avec incision.
[1] Été............	IB 20 000/T	Sans incision.

Cotyledon. Tournefort ex-Linné (Crassulacées). — Serre froide.
Séparation de rejets. Bouturage de tige ou de feuilles, simplement détachées, en fin d'été, à l'air (facile).

Coudrier. — Voir *Corylus.*

Courge. — Voir *Cucurbita.*

Coutarea. Aublet (Rubiacées). — Serre chaude.
Bouturage facile à l'étouffée, en terre de bruyère.

Crambe. Tournefort ex-Linné (Crucifères). — Plein air.
Bouturage de tronçons de racines de 10 cm, en automne. Division de touffes au printemps.

Crassula. Dillenius ex-Linné (Crassulacées). — Serre froide.
Bouturage pendant et après la floraison de branches non boutonnées, coupées sous un nœud.
Éviter la pourriture (ne pas enterrer de feuilles, donner de l'air).

Cratægomespilus. — Hybride de greffe entre *Cratægus* et *Mespilus.*
Greffage. Bouturage très difficile.

Cratægus. Tournefort ex-Linné (Rosacées) : AUBEPINE, BUISSON ARDENT (*Pyracantha coccinea* Rœm. = *Cratægus Pyracantha*). — Plein air.

Semis, greffage.

C. pyracantha : Bouturage de rameaux demi-ligneux, sous verre. Marcottage. Greffage.

PYRACANTHA COCCINEA « LALANDII » :

[2] Juin...........	T	35	19
	NA 4 000/T	83	

PYRACANTHA CRENULATA :

[2] Septembre......	T	0	35
	IA 50/20	100	

Crescentia. Linné (Bignoniacées) : CALEBASSIER. — Serre tempérée.
Semis. Bouturage possible en hiver, en serre chaude.

Cresson. — Voir *Nasturtium* et *Barbarea*.

Crinum. Linné (Amaryllidacées). — Serres.
Séparation des bulbes et des caïeux au printemps.

Crocosmia. Planchon (Iridacées). — Plein air.
Traitement des *Montbretia*.

Crocus. (Tournefort) Linné (Iridacées) : SAFRAN. — Plein air.
Séparation des bulbes et rhizomes en automne.

Crossandra. Salisbury (Acanthacées). — Serre tempérée.
Bouturage facile, tout l'été en serre.

Crotalaria. Dillenius ex-Linné (Papilionacées). — Serre tempérée.
Bouturage en hiver, en serre chaude, avec branches aoûtées.

Croton. Linné (Euphorbiacées). — Serre chaude.
Voir *Codiæum*.

Crowea. Smith (Myrtacées Diosmées). — Serre froide.
Bouturage possible en serre à multiplication tempérée, au printemps (la plante dure moins que lorsqu'elle est greffée sur *Correa*).

Crucianella. Linné (Rubiacées). — Plein air.
Division des touffes au printemps.

Cryptanthus. Otto et Dietrich (Broméliacées). — Serre tempérée.
Séparation de proliférations.

Cryptolepis. Robert Brown (Apocynacées). — Serre chaude.
Bouturage en hiver (facile) avec branches demi-aoûtées, en serre.

Cryptomeria. D. Don (Conifères Cupressinées). — Plein air.
Bouturage facile en automne, en serre tempérée, de branches latérales comme d'extrémités. Bouturage sous verre. Semis. Greffage.

Cucumis. (Tournefort) Linné (Cucurbitacées). — Plein air et serres, et plein air en été.

Cucumis Melo, MELON; *C. sativus* Linné, CONCOMBRE ou CORNICHON.

Généralement reproduction par semis, sur couches, sous châssis.

Bouturage possible et très facile des pousses terminales, sur place, sous verre.

Cucurbita. (Tournefort) Linné (Cucurbitacées) : COURGE, CITROUILLE, POTIRON, COLOQUINTE. — Plein air, en été.
Semis. Bouturage possible.

Cudriana. Trécul (Urticacées). — Plein air.
Greffage sur *Maclura*. Bouturage.

Cunninghamia. R. Brown (Conifères). — Plein air.
On peut séparer des rejets et drageons.
Le bouturage donne des sujets de port défectueux.

Cunonia. Linné (Saxifragacées Cunoniées). — Serre froide.
Marcottage ou bouturage de rameaux demi-aoûtés à chaud.

Cupania. Plumier (Sapindacées). — Serre tempérée.
Bouturage au printemps de branches latérales coupées sur une plante dont l'axe a été enlevé.

Cuphea. P. Brown (Lythracées). — Serre froide.
Semis ou bouturage au printemps (facile) en serre tempérée, ou sur couche tiède (suivant les espèces).

Cupressus. Tournefort (Conifères Cupressinées) : CYPRÈS. — Plein air.
Semis. Greffage. Bouturage difficile.

Curculigo. Gaertner (Hypoxidacées). — Serre tempérée et chaude.
Division de touffes, séparation de drageons.

Curcuma. Linné (Zingibéracées). — Serre chaude.
Division des rhizomes.

Cussonia. Thunberg (Araliacées). — Serre tempérée et plein air dans le midi.
Marcottage ou bouturage à l'étouffée.

Cyanella. Linné (Iridacées). — Plein air.
Comme les *Ixia*.

Cyanophyllum. Naudin (Mélastomacées). — Serre chaude.
Bouturage au printemps de pousses terminales en serre chaude, sur chaleur de fond.

Cyanotis. D. Don (Commélinacées). — Serre chaude ou tempérée.
Multiplication par boutures herbacées à chaud.

Cyathea. Smith. — Voir *Fougères*.

Cycas. Linné (Cycadacées). — Serre froide, plein air dans le Midi.
Semis. Séparation de drageons. Bouturage d'écailles de tige.

Cyclanthus. Poiteau (Cyclanthacées). — Serre chaude.
Comme les *Carludovica*.

Cydonia. Tournefort (Rosacées, Pomacées). — Plein air.
Porte-greffe du poirier : *C. vulgaris*.
Cognassier à fleur : *C. japonica*.
Marcottage en butte. Bouturage de rameaux ligneux et de racines.

CYDONIA JAPONICA :

[2] Septembre......	T IA 25/24	20 60	21	Pousses aoûtées, meilleurs résultats, avec la base des rameaux.

Pour variétés fruitières : greffage.

Cynara. Vaillant ex-Linné (Composées Cynarocéphalées) : ARTICHAUT (*C. Scolymus*). — Plein air.

« Œilletonnage » (séparation de rejets) au début du printemps ou en automne en abritant les œilletons.

Cynodon. Richer in Persoon (Graminées) : CHIENDENT, PIED DE POULE.

Division des rhizomes en petits tronçons. Semis.

Cyperus. (Michaux) Linné (Cypéracées). — Plein air et serre froide ou tempérée; aquatiques.

Bouturage des extrémités feuillées des tiges dans l'eau ou le sable humide.

Cyphomandra. Martins ex-Sendtner (Solanacées) : TOMATE EN ARBRE. — Serre froide; plein air dans le Midi.

Bouturage à chaud et à l'étouffée.

Cypripedium. Linné (Orchidacées) : SABOT DE VÉNUS. — Serre tempérée; plein air pour certaines espèces.

Division des rhizomes au printemps.

Cyrtanthera. Nees (Acanthacées). — Serre tempérée.

Bouturage toute l'année, de pousses herbacées.

Cyrtanthus. Aitone (Amaryllidacées). — Serre tempérée.

Séparation des caïeux.

Cytisus. Linné (Papilionacées) : CYTISE. — Serre froide en plein air.

Semis. Greffage. Bouturage de rameaux ligneux l'hiver (*C. laburnum*) ou sous verre l'été (*C. racemosus*).

CYTISUS CANARIENSIS :

[2]	Octobre	H_2O/15	0	
		IA 100/15	65	33
[2]	Septembre	H_2O 20/24	10	
		IA 200/24	90	34

CYTISUS (DIVERSES ESPÈCES ET VARIÉTÉS) :

[1]	Juillet à décembre	IA 100-200/24 NA 25-100/24 IA 10 000/T NA 1 000-2 000/T	Tourbe + sable.

Dacrydium. Solander (Conifères Taxinées). Serre froide.
Bouturage comme pour l'*Araucaria excelsa.*

Dædalacanthus. T. Anderson (Acanthacées). — Serre tempérée.
Multiplication de boutures.

Dahlia. Cavanilles (Composées Radiées). — Serre froide ou abri pendant l'hiver; plein air en été.

Conservation des souches en serre froide sous tablettes ou en cave saine (stratifier les petites racines dans le sable ou la tourbe).

Mise en végétation en février-mars, en serre tempérée ou sur couche tiède.

Bouturage des pousses émises avec de préférence, prélection d'un talon pris sur la racine (Prélever régulièrement ces boutures quand elles ont 6 à 8 cm de longueur).

Bouturage possible de feuilles isolées avec portion de tige pour les variétés à multiplier rapidement.

Séparation des racines avec portion de collet (favorise la dégénérescence).

(Veiller à préserver des maladies à virus par les précautions appropriées.)

Daïs. Royen ex-Linné (Thymélacées). — Serre froide.
Bouturage de racines, au printemps, en serre froide.

Dalechampia. Plumier ex-Linné (Euphorbiacées). — Serre tempérée.
Bouturage facile à bois tendre, au printemps.

Dammara. (Rumphius) Lamarck (Conifères Abiétinées). — Serre froide.
Bouturage comme pour les *Araucaria.* Greffage sur *Araucaria.*

Danae. Medikus (Liliacées Asparagées) : Laurier d'Alexandrie. — Plein air.
Division de touffes.

Daphne. Tournefort ex-Linné (Thyméléacées). — Plein air et serre froide.

Semis. Marcottage de pousses demi-herbacées. Greffage. Division.

Bouturage en serre tempérée, terre de feuilles, sableuse (*D. Mezereum* : reprise difficile).

	Daphne cneorum :			
[2] Septembre......	T	20		Sable meilleur que tourbe et sable.
	IA 50/5	66	63	
[2] Octobre........	T	0		
	IA 100/16	56	42	
[1] Août-septembre..	IB 10 000/T			1/5 tourbe.
	NA 1-2 000/T			4/5 sable.
	Daphne laureola :			
[2] Novembre......	T	0		
	IA 100/24	100	84	
	Daphne odora :			
[2] Mars...........	T	14		
	IA 100/20	80	42	
[2] Août...........	IA 200/X	60	35	

Darea. Jussieu (Fougères). — Serre froide.
Séparation des proliférations.

Dasylirion. Zuccarini (Liliacées Aloïnées). — Serre froide; plein air dans le Midi.
Séparation de proliférations issues des feuilles sèches.

Datisca. Linné (Datiscacées). — Plein air.
Division des fortes touffes.

Datura. Linné (Solanacées). — Voir *Brugmansia.*

Davallia. Smith (Fougères Polypodiacées). — Serre tempérée.
Bouturage au printemps, de rhizomes tronçonnée, en serre tempérée humide.

Davidia. (Cornacées). — Plein air.
Semis. Marcottage de pousses herbacées. Greffage sur racines, bouturage sous verre.

[3] Juillet..........	IB 4 000/T			Rameaux tendres à talon. Sable.

Decaisnea. Hooker fils (Berbéridacées). — Plein air.
Semis. Division. Bouturage de racines ou de rameaux ligneux. Marcottage.

Delairea. Lemaire (Composées Radiées Sénécionées). — Serre froide; plein air en été ou dans le Midi.
Bouturage facile.

Delphinium. Tournefort ex-Linné (Renonculacées) : PIED D'ALOUETTE, DAUPHINELLE. — Plein air.
Espèces vivaces : Semis, division des souches en automne. Bouturage en automne ou au printemps.

Dendrobium. Swartz (Orchidacées). — Serre chaude.
Séparation des proliférations issues des pseudobulbes.

Dendromecon. Bentham (Papavéracées). — Plein air.
Bouturage difficile.

Dentaria. (Tournefort) Linné (Crucifères). — Plein air.
Division des souches tubérisées, en terre fertile et humide.

Derris Elliptica. Lons (Légumineuses).

[2] Août...........	H_2O/24	8		
	IB 200/24	58	21	
[2] —	H_2O/5 s	33 (2)		
	IB 2 000/5 s	88-100 (30)	14 j	Bois mûr sans feuille.
	NA 2 000/5 s	88-100 (30)		

Desfontainea. Humboldt, Fonpland et Kunth (Solanacées). — Serre froide.
Bouturage en hiver, en serre tempérée.

Desmodium. Desvaux (Papilionacées Hédysarées). — Plein air (Voir aussi à LESPEDEZA)
Bouturage facile de pousses tendres, sous verre en été.

Deutzia. Thumbert (Saxifragacées Philadelphées). — Plein air.
Bouturage de rameaux herbacés ou ligneux sous verre. Marcottage. Division.

Dianella. Lamarck (Liliacées). — Plein air sous abri.
Division des souches.

Dianthera. Gronovius (= *Porphyrocoma pro parte*) (Acanthacées). — Serres.
Comme les *Justicia*, *Aphelandra*, etc.

Dianthus. Linné (Caryophyllacées Silénées) : ŒILLETS. — Plein air.

O. mignardise : Repiquage de boutures éclatées, en septembre, directement en place.

Œillets remontants à grandes fleurs : Races « Chabaud » et « Enfant de Nice ». Semis.

Types « américain » et « parisien » : Bouturage sous verre, à froid, en août-septembre ou au printemps, en serre tempérée. Utiliser de préférence, des pousses éclatées et bien aoûtées.

Types de reprise difficile : Marcottage avec incision en pleine terre pour les plantes souples, en l'air (en cornet) pour les espèces à tiges rigides.

Dicentra. Bernhard in Linné (= *Dielytra*) (Fumariacées) : CŒUR DE JEANNETTE. — Plein air.

Multiplication par éclats de souche, en automne. Bouturage des racines ou de rameaux herbacés, au printemps.

Dichorisandra. Mikan (Commélinacées). — Serre tempérée.

Bouturage très facile en été, en serre ou division de touffes.

Dichroa. Loureiro. — Voir *Adamia.*

Dicksonia. L'Héritier (Fougères). — Serre tempérée.

Voir *Alsophila.*

Dicliptera. Jussieu (Acanthacées). — Serre froide; plein air en été.

Comme les *Justicia.*

Dictamnus. Linné (Rutacées) : FRAXINELLE. — Plein air.

Division des souches avec précaution.

Dieffenbachia. Schott (Aracées). — Serre chaude.

Bouturage de tronçons de tiges ou de têtes l'hiver en serre chaude sur sable de rivière.

Dielytra. Chamisso et Schlechter. — Voir *Dicentra.*

Diervilla. Tournefort ex-Linné (Caprifoliacées). — Arbustes de plein air (= *Weigelia*).

Bouturage de pousses herbacées sous verre ou de rameaux ligneux en plein air. Marcottage. Greffage sur racines.

[2] Juin............	T	58		
	NA 1 000/T	98	12	
	DIERVILLA (HYBRIDES) :			
[2] Août...........	$H_2O/24$	30		
	IB 50/24	95	31	
[1] Juin............	IB 10 000/T			Avec incision, 4/5 tourbe, 1/5 sable.
	NA 1 000/T			

Digitalis. (Tournefort) Linné (Scrofulariacées) : DIGITALE, GANT DE NOTRE-DAME. — Plein air.

Semis, division des souches en septembre.

Dillenia. Linné (Dilléniacées). — Serre chaude.

Semis. Bouturage de rameaux demi-aoûtés, à l'étouffée.

Dillwynia. Smith (Papilionacées). — Serre froide.

Bouturage (délicat) en petits godets, en hiver, en serre tempérée.

Dimorphotheca. Vaillant (Composées Radiées). — Serre froide plein air l'été.
Bouturage de pousses herbacées, sous verre, au printemps ou en été.

Dionea. Ellis (Droséracées) : ATTRAPE-MOUCHES. — Serre tempérée.
Séparation de rejets.

Dioscorea. Plumier ex-Linné (Dioscoréacées) : IGNAME. — Plein air et serres.
Bouturage facile de pousses herbacées en serre chaude. Tronçonnement des tubercules (en période de repos). (Bulbilles aériennes chez certaines espèces).

Diosma. Linné (Rutacées Diosmées). — Serre froide; plein air en été ou dans le Midi.
Bouturage au printemps, en serre tempérée, en sol très poreux, ou en été sous verre.

Diospyros. Linné (Ébénacées) : PLAQUEMINIER, LOTUS, KAKI. — Plein air et serres.
D. kaki : Semis et greffage (bouturage de racine, sans doute possible). Marcottage de pousses herbacées.
Espèces de serre. — Bouturage de pousses demi-aoûtées, au printemps, à chaud.

Dipelta. Maximovicz (Caprifoliacées). — Plein air.
Bouturage assez difficile sur bois aoûté, en automne ou de pousses herbacées sous châssis au printemps.

Diplacus. Nuttall (Scrofulariacées). — Serre tempérée.
Bouturage ou éclatage de touffes au printemps.

Dipladenia. A. de Candolle (Apocynacées Échitées). — Serre chaude.
Bouturage, avec chaleur de fond, au printemps, des jeunes pousses prélevées sur les tubercules.

Diplarrhena. Labillardière (Iridacées). — Serre froide.
Comme pour les *Libertia.*

Disanthus. Maximovics (Hamamélidacées). — Plein air.
Bouturage difficile, sinon impossible. Marcottage.

Dodecatheon. Linné (Primulacées) : GYROSELLE. — Plein air.
Division des souches en automne.

Dolichos. Linné (Papilionacées) : DOLIQUE. — Plein air.
Espèces vivaces. Bouturage sous verre possible.

Dombeya. Cavanilles (= *Astrapæa*) (Sterculiacées Butnériées). — Serre tempérée; plein air vers Menton.
Bouturage de têtes ou de tronçons de rameaux bien aoûtés, en terre légère, à l'étouffée.

Doronicum. Tournefort ex-Linné (Composées Radiées). — Plein air. Division des rhizones en automne.

Dorstenia. Plumier ex-Linné (Urticacées). — Serre chaude.
Division des touffes pendant la période de repos.

Doryanthes. Correa (Amaryllidacées). — Plein air dans le Midi.
Multiplication par drageons.

Doryopteris. J. Smith (Fougères). — Serre tempérée.
D. palmata, cette très jolie Fougère, voisine des *Pteris,* est prolifère ainsi que le *Fadyenia prolifera.*
Séparation de proliférations.

Dracæna. Vaud (Liliacées Dracænées) : DRAGONNIER. — Serre tempérée.
Comme les *Cordylines.*

Dracocephalum. Linné (Labiées). — Plein air.
Division des touffes en automne, ou bouturage de pousses herbacées au printemps.

Drimys. Forster (Magnoliacées). — Plein air sous abri.
Bouturage de pousses demi-aoûtées sous châssis froid (très difficile chez *D. colorata* Raoul et *D. Winteri* Forst).

Drosera. Linné (Droséracées) : ROSSOLIS. — Serre tempérée ou plein air, tourbières.
Semis, division de touffes. Bouturage de feuilles possible.
Pour *D. binata* : bouturage de racines, sous verre, à chaud.

Dryandra. R. Brown (Protéacées). — Serre froide.
Multiplication des *Banksia.*

Dryas. Linné (Rosacées). — Plein air, rocailles.
Division. Semis. Bouturage sous verre.

Drymonia. Martins (Gesnéracées). — Serre chaude.
Facile multiplication par boutures.

Duranta. Linné (Verbénacées). — Serre froide.
Bouturage au printemps, de branches demi-aoûtées, en serre tempérée.

Dyckia. Schultes F. (Broméliacées). — Serre froide ou tempérée.
Séparation de drageons.

Echalote. — Voir *Allium.*

Echeveria. De Candolle (Crassulacées). — Serre froide; plein air en été.

Division des touffes. Bouturage de feuilles, tout l'été, en pleine lumière, en sol poreux. (Laisser ressuyer la plaie avant le repiquage, n'enterrer que très peu, ne pas trop mouiller).

Les grandes espèces du genre supportent mieux le bouturage des feuilles qui garnissent la tige florale.

Echinacea. Mœnch (Composées). — Plein air.

Séparation d'éclats au début du printemps.

Echinocactus. Link et Otto (Cactacées). — Serre tempérée.

Voir *Cactées.*

Echinops. Linné (Composées Cynarocéphalées). — Plein air.

Division des touffes pendant le repos de la végétation. Bouturage de racines.

Echinopsis. Zuccarini (Cactacées). — Serre tempérée.

Bouturage des rejets. (Le brûlage du centre de la plante favorise leur émisssion) Voir *Cactées.*

Echites. P. Brown (Apocynacées). — Serre tempérée et chaude.

Bouturage de branches aoûtées. Serre chaude.

Echium. Tournefort ex-Linné (Boraginacées) : VIPÉRINE. — Plein air ou serre froide.

Marcottage. Bouturage possible sous verre.

Edgeworthia. Meisener (Thyméléacées). — Serre froide; plein air dans le Midi.

Multiplication des *Daphne.*

Edwardsia. Salisbury (Papilionacées). — Serre froide.

Marcottage sur pied. Bouturage difficile.

Eglantier. — Voir *Rosa.*

Eichhornia. Kunth (Pontédériacées) : JACINTHE D'EAU. — Plein air dans le Midi ou en été; aquatique.

Séparation de rejets.

Elæagnus. (Tournefort) Linné (Éléagnacées). — Orangerie et serre froide; plein air dans l'Ouest et le Midi.

Marcottage. Semis. Bouturage sous verre (rameaux aoûtés) (difficile chez *E. glabra, E. macrophylla* et toutes les variétés panachées). Greffage.

ELÆAGNUS PUNGENS « REFLEXA » :

[2] Novembre	$H_2O/6$	3		
	IB 40/6	70	36	

ELÆAGNUS PUNGENS :

[3] Août...........	IB 4 000/T	Tourbe + sable, avec incision.

Elæocarpus. Burmann ex-Linné (Tiliacées). — Plein air dans le Midi, ou l'été.

Bouturage à l'étouffée, de pousses feuillées et aoûtées, dans le sable, sur chaleur de fond.

Elodea. Michaux (Hydrocharitacées). — Plein air, aquatique (= *Anacharis*).
Prodigieuse facilité de multiplication par hibernacles et par rameaux détachés.

Elshotzia. Willdenow (Labiées). — Plein air.
Semis. Division. Bouturage sous verre.

Empetrum. (Tournefort) Linné (Empétracées) : CAMARINE. — Plein air.
Bouturage sous verre. Division. Marcottage.

Endymion. Dumortier (Liliacées Scillées) : JACINTHE DES BOIS. — Plein air.
Séparation des caïeux en fin d'été. Bouturage facile des feuilles ou même des hampes florales dégarnies de leurs fleurs.

Enkyanthus. De Candolle (Éricacées). — Serre froide.
Semis. Bouturage sous verre. Marcottage.

[2] Juin...........	T	83		
	IB 50/2	100	42	Bois tendre, sable + tourbe, meilleur que sable.

Eomecon. Hance (Papavéracées). — Plein air.
Division des souches.

Epacris. Forster (Épacridacées). — Serre froide.
Bouturage de petits rameaux demi-aoûtés, sous verre. Maintenir la fraîcheur du sol sans excès d'humidité. Marcottage avec incision des espèces de reprise difficile. Semis. Division.

Ephedra. Tournefort ex-Linné (Gnétacées). — Plein air.
Semis. Marcottage. Division de souches. Bouturage en serre.

Epilobium. Dillenius ex-Linné (Onagrariacées). — Plein air.
Division de souches ou de proliférations.

Epimedium. (Tournefort) Linné (Berbéridacées). — Plein air.
Multiplication par éclats, en été.

Epiphyllum. Haworth (Cactacées) (= *Zigocactus* Schum.). — Serre tempérée.
Greffage sur *Pereskia* ou *Opuntia*. Bouturage facile : laisser ressuyer les plaies 48 heures avant le repiquage.

Epipremnum. Schott (Aracées). — Serre chaude.
Multiplication des *Monstera*.

Episcia. Martins (Gesnéracées). — Serre chaude.
Bouturage facile.

Equisetum. Tournefort (Équisétacées) : PRÊLE. — Plein air
Division des souches.

Erable. — Voir *Acer*.

Eranthemum. Linné (Acanthacées). — Serre tempérée.
Multiplication des *Justicia* et *Aphelandra*.

Eranthis. Salisbury (Renonculacées). — Plein air.
Division des tubercules, été.

Ercilla. A. Jussieu (Phytolaccacées). — Plein air.
Bouturage très facile.

Eremurus. Biebenstein (Liliacées Asphodélinées). — Plein air.
Division des souches à racines tubéreuses, en août-septembre.

Erianthus. Michaux (Graminées). — Plein air, sous abri.
Multiplication par éclats au printemps.

Erica. (Tournefort) Linné (Éricacées) : BRUYÈRES. — Serre froide et plein air.
Multiplication des *Epacris* (chez plusieurs espèces comme *E. arborea*, le bouturage est particulièrement difficile).

ERICA HIEMALIS :

[2] Janvier.........	H_2O/18	10 (3)		
	IB 75/18	95 (13)	51	Boutures immergées complètement dans la solution.

Erigeron. Linné (Composées Radiées). — Plein air.
Espèces vivaces : division comme les *Aster*, en automne.
E. mucronatus DC. se bouture facilement sous cloche.

Erinus. Linné (Scrofulariacées). — Plein air, rocailles.
Division des touffes en automne.

Eriobotrya. Lindley (Rosacées) : NÉFLIER DU JAPON, BIBACIER. — Plein air, sous abri.
Semis et greffage seulement.

Eriostemon. Smith (Myrtacées Diosmées). — Serre froide.
Greffage en placage, à l'étouffée, sur *Correa alba*. Marcottage possible. Bouturage difficile (comme les bruyères).

ERIOSTEMON MYOPOROIDES :

[2] Mars...........	T	10		
	IA 100/20	90	45	
[2] Juin............	T	25 (1)		
	IB 100/20	85 (7)	39	Bois demi-aoûté.

Erodium. L'Héritier (Géraniacées). — Plein air.
Division des souches.

Eryngium. (Tournefort) Linné (Ombellifères) : PANICAUT, CHARDON BLEU (*E. alpinum*, *E. Bourgati*). — Plein air.
Division des touffes, séparation des drageons.

Erythrina. Linné (Papilionacées). — Serre froide.
Conservation au sec, à l'abri du gel, depuis l'automne, des souches recépées.

Mise en végétation à la fin de l'hiver en serre chaude, puis bouturage en godets des jeunes pousses prélevées avec talon. (Veiller à l'état sanitaire des boutures : pourriture à craindre).

Erythrochiton. Nees et Martins (Rutacées). — Serre chaude.
Semis. Bouturage assez facile à l'étouffée avec chaleur de fond.

Erythronium. Linné (Liliacées Liliées) : DENT DE CHIEN. — Plein air.
En automne, tous les deux ou trois ans, séparer les bulbes nés des caïeux ou des drageons pédiculés.

Escallonia. Mutis (Saxifragacées Escalloniées). — Serre froide, plein air dans l'Ouest et le Midi.

Bouturage sous verre de rameaux aoûtés. Marcottage, séparation de drageons. Semis.

[3] Juillet..........	IB 4 000/T			1/4 tourbe, 3/4 sable.

Eucalyptus. L'Héritier (Myrtacées). — Serre froide; plein air dans le Midi et parfois dans l'Ouest.

Multiplication habituelle par semis. Bouturage très difficile en conditions ordinaires. Le bouturage en plein soleil avec pulvérisations fréquentes a donné d'excellents résultats.

Eucharis. Planchon et Linden (Amaryllidacées). — Serre tempérée.

Séparation des caïeux en automne.

Eucomis. L'Héritier (Liliacées Scillées). — Plein air.

Division des caïeux.

Eucryphia. Cavanilles (Rosacées). — Plein air sous abri.

Bouturage sous verre (difficile). Semis. Marcottage de rameaux herbacés.

Eugenia. Michaux ex-Linné (Myrtacées Myrtées). — Serre froide.

Multiplication au printemps ou en automne par boutures aoûtées en serre tempérée.

EUGENIA DOMBEYI :

[2] Juillet..........	T	50	
	IA 100/24	100 (5)	54

Eulalia. — Voir *Miscanthus*.

Euonymus. Linné (Célastracées) : FUSAIN. — Plein air et orangerie.

Bouturage sous verre (auxines utiles pour espèces de reprise difficile). Semis. Greffage sous verre.

EUONYMUS (ESPÈCES) :

[1] Mai-août	IB 10-20 000/T			Tourbe + sable.

EUONYMUS EUROPEA :

[2] Août...........	H_2O/21	0	
	IB 100/21	80	43

EUONYMUS JAPONICA

[2] Août...........	T	38	
	IB 20/24	100	31
[2] Septembre......	T	42	
	IB 60/24	98	26

EUONYMUS RADICANS :

[2] Août...........	H_2O/21	36	36
	IB 100/21	80	
[2] Juin............	H_2O/6	100	21
	IB 30/6	100	

EUONYMUS RADICANS « CARRIERI » :

[2] Juin............	H_2O/6	100	
	IB 30/6	100	21

Eupatorium. (Tournefort) Linné (Composées Eupatoriées). — Serre froide.
Bouturage facile de pousses herbacées ou demi-aoûtées au printemps, en serre tempérée.

Euphorbia. Linné (Euphorbiacées Euphorbiées). — Serre tempérée ou plein air, selon les espèces.

Espèces cactiformes : Multiplication comme pour les cactées.

Espèces herbacées ou ligneuses : Bouturage au printemps ou en été sous verre, en serre.

(Laisser ressuyer après avoir éliminé le latex, en tremper la coupe dans l'eau tiède.)

Euptelea. Siebold et Zuccarini (Magnoliacées). — Plein air.
Bouturage et marcottage très difficiles à réussir.

Eurya. Thunberg (Ternstrœmiacées). — Serre froide et orangerie.
Bouturage en serre tempérée en automne avec bois aoûté, comme les *Camellia*, *Aucuba*, *Laurus*, etc. (application des auxines très efficace).

EURYA JAPONICA :

[2] Janvier.........	T	0	
	IA 150/18	100 (15)	46 jours.
	IB 75/18	100 (18)	

Eurybia. Cassini (Composées). — Serre froide.
Bouturage sur couche tiède, marcottage.

Eutaxia. Robert Brown (Papilionacées).
Multiplication des *Dillwynia*.

Evonymus. — Voir *Euonymus*.

Exacum. Linné (Gentianacées). — Serre chaude.
Multiplication par boutures de l'*E. macranthum*, au printemps, en serre chaude.

Exochorda. Lindley (Rosacées Spirées). — Plein air.
Semis. Marcottage. Bouturage (difficile). Greffage sur racine.

[1] Mai-juin........	IB 10-20 000/T	Tourbe + sable

Fabiana. Ruiz et Pavon (Solanacées). — Serre tempérée. Plein air dans l'Ouest et le Midi.

Bouturage des rameaux latéraux en serre tempérée, sous verre, au printemps.

Fabricia. Thunberg (Myrtacées Leptospermées). — Serre froide.

Bouturage de rameaux aoûtés à l'automne, en serre tempérée ou au printemps, de bonne heure, comme pour les *Leptospermum.*

Fagus. (Tournefort) Linné (Fagacées) : HÊTRE. — Plein air.

Semis. Greffage. Marcottage. Bouturage difficile (hiver ou été).

FAGUS SYLVATICA :

[2] Juillet..........	T	0	
	IA 200/24	50	37

Farfugium. Lindley (Composées Radiées). — Plein air.

Division des souches au printemps.

Fatsia. Decaisne et Planchon (Araliacées). — Plein air ou serre froide.

Semis. Bouturage facile.

Feijoa. Bergen (Myrtacées). — Plein air dans l'Ouest et le Midi.

Bouturage de pousses aoûtées à la fin de l'été (difficile pour les variétés panachées).

Felicia. Cassini (Composées Radiées). — Plein air ou abri.

Semis et bouturage en terre légère sous cloche.

Fendlera. Engelmann et Gray (Saxifragacées). — Plein air.

Bouturage et division de touffes.

Ferdinanda. Lagasca (= *F. eminens* Hort.). — Voir *Podachænium.*

Ferraria. Linné (Iridacées). — Plein air en été. Serre tempérée.

Voisine des *Tigridia* et, comme eux, à multiplier par séparation des caïeux pendant la période de repos.

Festuca. (Tournefort) Linné (Graminées) : FÉTUQUE. — Plein air.

Semis. Division des touffes au printemps.

Ficoïde. — Voir *Mesembryanthemun.*

Ficus. Tournefort ex-Linné (Urticacées) : FIGUIER. — Plein air et serre tempérée.

Bouturage des *Figuiers comestibles* (*F. carica* L.), très facile, en pleine terre à la fin de l'hiver.

Espèces de serre à grosses feuilles : Bouturage en serre chaude, à l'étouffée à la fin de l'hiver : utiliser les pousses terminales ou des feuilles coupées avec portion de tige, enrouler la feuille autour d'un bâtonnet et repiquer une bouture par godet. Laisser ressuyer le latex auparavant.

Espèces à petites feuilles : Bouturage de pousses aoûtées (plusieurs par godet).

Figuier. — Voir *Ficus.*

Figuier de Barbarie. — Voir *Opuntia.*

Filao. — Voir *Casuarina.*

Fittonia. E. Collemans (Acanthacées). — Serre chaude et tempérée.
Multiplication de boutures de rameaux ou de feuilles comme les *Gymnostachyum.*

Fitzroya. Hooker (Conifères). — Plein air dans l'Ouest et le Midi.
Bouturage en été par rameaux demi-aoûtés, assez difficile.

Forsythia. Wahlenberg (Oléacées). — Plein air.
Bouturage facile de rameaux aoûtés, en hiver, en ligne, en pépinières, ou de pousses feuillées (reprise facile) sous verre en été.

Fothergilla. Murray (Hamamélidacées). — Plein air.
Semis. Bouturage de rameaux ou racines, sous verre. Marcottage.

Fougères. — Suivant les espèces :
Semis. Division de souches. Séparation des stolons ou de proliférations diverses.

Fragaria. (Tournefort) Linné (Rosacées) : FRAISIER. — Plein air.
Séparation des stolons (juillet). Division de touffes. Semis.

Fraisier. — Voir *Fragaria.*

Framboisier. — Voir *Rubus.*

Franciscea. Pohl. — Voir *Brunfelsia.*

Francoa. Cavanilles (Saxifragacées). — Plein air sous abri.
Division et séparation des rosettes et des souches.

Fraxinus. Tournefort ex-Linné (Oléacées Fraxinées) : FRÊNE. — Plein air.
Semis. Greffage. Bouturage de rameaux ligneux.

Freesia. Bah. (Iridacées). — Plein air dans le Midi.
Semis. Séparation des caïeux.

Fritillaria. Linné (Liliacées). — Plein air.
Séparation des bulbes tous les trois ou quatre ans, en août-septembre.

Fuchsia. (Plumier) (Onagrariacées). — Serre froide et plein air.
Boutures herbacées (printemps ou été) sous verre.

Furcræa. Ventenat (Amaryllidacées). — Serre tempérée.
Séparation des rejetons (issus de la base de la plante décapitée).
Bulbilles de la tige florale (craignent la pourriture).

Fusain. — Voir *Euonymus.*

Gaillardia. Fougeroux (Composées) : GAILLARDE. Plein air.
Types vivaces : division des souches (printemps).

Galanthus. Linné (Amaryllidacées) : PERCE-NEIGE. — Plein air.
Séparation des bulbes (automne).

Galax. Linné (Diapensiacées). — Plein air.
Division (printemps). Semis.

Galega. Tournefort (Papilionacées). — Plein air.
Division des souches (printemps). Semis.

Galtonia. Decaisne (Liliacées) : JACINTHE DU CAP. — Plein air.
Séparation des caïeux. Semis.

Garcinia. Linné (Guttifères) : MANGOUSTAN. — Serre chaude.
Boutures aoûtées (sous cloche et à chaud).

Gardenia. Ellis (Rubiacées). — Serre tempérée; plein air l'été.
Bouturage : au printemps : serre chaude sur chaleur de fond; été : sous verre

[2] Juillet..........	T	0	
	IA 100/24	100 (31)	28
[2] Janvier.........	H_2O/3	2	
	IB 80/3	64	34

Garrya. Douglas (Garryacées). — Plein air, surtout dans l'Ouest et le Midi.
Semis. Bouturage (herbacé, sous cloche : difficile). Marcottage.

Gasteria. Duval (Liliacées). — Serre froide.
Comme les *Alœ*.

Gastrolobium. R. Brown (Papilionacées). — Plein air.
Bouturage au printemps, de rameaux feuillés, sous verre. Semis.

Gattilier. — Voir *Vitex*.

Gaultheria. Kalm (Éricacées). — Plein air.
Comme les *Andromeda*.

Gaura. Linné (Onagrariacées). — Plein air l'été.
Semis. Bouturage (sous verre au printemps de jeunes pousses tirées de pieds mis en végétation).

Gaylussaccia. Humboldt, Bonpland et Kunth (Éricacées). — Plein air sous abri.
Semis. Bouturage de pousses herbacées, sous verre.

Gazania. Gaertner (Composées). — Serre froide.
Bouturage (de pousses demi-aoûtées, tout l'été).

Geissomeria. Lindley (Acanthacées). — Serre tempérée.
A traiter comme les *Justicia*.

Gelsemium. Jussieu (Loganiacées). — Plein air sous abri, ou orangerie.
A multiplier comme les *Buddleia*.

Genêt. — Voir *Genista* et *Sarothamnus*.

Genêt d'Espagne. — Voir *Spartium*.

Genetyllis. Hooker (Myrtacées). — Serre froide tempérée, aérée et claire.
Marcottage sur pied. Bouturage (difficile).

Genévrier. — Voir *Juniperus.*

Genista. Linné (Papilionacées) : GENÊTS. — Plein air et serre froide.
Semis. Marcottage en butte. Greffage. Division. Bouturage difficile.

Gentiana. Linné (Gentianacées). — Plein air.
Division. Semis.

Géranium. Linné (Géraniacées). — Plein air.
Division (automne). Semis.

Gerbera. Gronovius (Composées). — Plein air dans le Midi.
Semis. Division (au printemps).

Gesnera. Linné (Gesnéracées). — Serre tempérée.
Bouturage (de feuilles ou de tiges, en serre chaude : craignent la pourriture).

Gesse. — Voir *Lathyrus.*

Geum. Linné (Rosacées) : BENOITE. — Plein air.
Division des souches (en automne).

Ginkgo. Linné (Gymnospermes Ginkgoacées) : ARBRE AUX 40 ÉCUS. — Plein air.
Semis. Rejets de racines. Bouturage (de rameaux d'un an à talon). Greffage.

[2] Juillet..........	T	56	
	IB 2 000/T	88	50
[2] Juillet..........	T	80	35
	IB 50/20	90	

Giroflée jaune. — Voir *Cheiranthus.*

Giroflée Quarantaine. — Voir *Matthiola.*

Gladiolus. Linné (Iridacées) : GLAIEULS. — Plein air.
Séparation des caïeux (hiver). Bouturage de bourgeons avec talon.

Glechoma. Linné (Labiées) : LIERRE TERRESTRE. — Plein air.
Division des rameaux enracinés.

Gleditschia. Clayton (Légumineuse) : FÉVIER. — Plein air.
Semis. Greffage.

Globba. Linné (Zingibéracées). — Serre chaude.
Division des souches au printemps. Séparation des proliférations de la tige florale.

Globularia. Linné (Globulariacées). — Plein air.
Division des touffes. Semis. Bouturage (sous verre).

Glonera. Hooker (Apocynacées). — Serre tempérée.
Bouturage l'hiver, de rameaux aoûtés.

Gloriosa. Linné (Liliacées). — Serre tempérée.
Division des souches tubéreuses (en hiver).

Gloxinia. L'Héritier (Gesnéracées). — Serre tempérée.
Semis. Bouturage de feuilles aoûtées en été.

Glycine. — Voir *Wistaria*.

Gnaphalium. Linné (Composées Radiées). — Serre froide et plein air.
Bouturage au printemps ou en été (craint la pourriture).

Gœthea. Nees et Martins (Malvacées). — Serre tempérée.
Bouturage au printemps ou en été.

Goldfussia. Nees (Acanthacées). — Serre tempérée.
Comme les *Strobilanthes* et la plupart des Acanthacées.
Bouturage au printemps ou en été.

Gomphocarpus. R. Brown (Asclépiadacées). — Serre froide; plein air dans le Midi.
Division. Bouturage de jeunes pousses. Semis.

Goodenia. Smith (Goodeniacées). — Serre tempérée.
Bouturage. Semis.

Goodyera. Robert Brown (Orchidées Physuridées Néottiées). — Serre chaude.
Bouturage sous verre.

Gordonia. Ellis (Malvacées). — Serre froide; plein air dans le Midi.
Semis. Marcottage. Bouturage sous verre.

[2] Août...........	T	0	
	IB 30/4	100	28
[2] Novembre......	T	67	
	IB 50/24	93	64

Gossypium. Linné (Malvacées) : COTONNIER. — Serre tempérée.
Pour les espèces vivaces : Bouturage à l'étouffée. Semis.

Graptophyllum. Nees (Acanthacées Gendarussées). — Serre tempérée.
Bouturage.

Gravesia. Naudin (Mélastomacées). — Serre chaude.
Multiplication des *Bertolonia*.

Grenadier. — Voir *Punica*.

Grevillea. Robert Brown (Protéacées). — Serre froide.
Bouturage (en automne ou en hiver). Marcottage. Greffage. Semis.

GREVILLEA ROSMARINIFOLIA :

[2] Mars...........	IB 33/24	80 % meilleur que témoin.	49

Grewia. Linné (Tiliacées). — Serre froide.
Bouturage de pousses herbacées au printemps (sur couche tiède et sous verre). Semis.

Greyia. Hooker (Saxifragacées). — Serre froide.
Bouturage de pousses aoûtées au printemps, en serre tempérée.

Griselina. R. Brown (Cornacées). — Serre froide.
Greffage sur *G. littoralis* issu de boutures. Bouturage en automne, de rameaux bien aoûtés, en serre tempérée.

Groseiller. — Voir *Ribes.*

Gunnera. Linné (Haloragacées). — Plein air, sous abri, même dans l'Ouest.
Division des souches au printemps.

Gymnocladus. Lamarck (Légumineuses Cæsalpiniées) : CHICOT DU CANADA. — Plein air.
Semis. Drageonnage. Bouturage de racines.

Gymnostachyum. Nees (Acanthacées). — Serre chaude et tempérée.
Bouturage de feuilles ou pousses feuillées.

Gynerium. Humboldt et Bonpland (Graminées) : HERBE DES PAMPAS. — Voir *Cortaderia.*

Gypsophila. Linné (Caryophyllacées Silénées). — Plein air.
Espèces vivaces : Semis. Tronçons de racines.

Haberlea. Frival (Gesnéracées Ramondiées). — Plein air.
Comme *Ramondia.*

Habrothamnus. Endlicher. — Voir *Cestrum.*

Hackea. Schrader (Protéacées). — Serre froide; plein air dans le Midi.
Bouturage de rameaux demi-aoûtés, à l'étouffée, dans le sable, sur chaleur de fond (long et difficile).

Hæmanthus. (Tournefort) Linné (Amaryllidacées). — Serre tempérée.
Séparation des bulbes. Bouturage de feuilles (facile).

Halesia. Linné (Styracées) : ARBRE AUX CLOCHES D'ARGENT. — Plein air.
Semis. Bouturage de racines. Marcottage. Greffage.

HALESIA CAROLINA

[2] Juillet..........	H_2O/20	40	
	IB 25/20	80	42
[2] Juillet..........	H_2O/48	0	
	IA 100/48	70	40

Hamamelis. Gronovius ex-Linné (Hamamélidacées). — Plein air.
Greffage sur *H. virginica* de semis. Marcottage. Bouturage (difficile).

HAMAMELIS MOLLIS :

[2] Juillet..........	T	59	
	IB 50/20	73	

HAMAMELIS VIRGINICA (PORTE-GREFFE)

[2] Juillet..........	T	0	
	IA 200/24	33	38

Hardenbergia. Bentham. — Voir *Kennedya.*

Harpalium. Cassini (Composées, Radiées). — Plein air.
Multiplication des *Helianthus.*

Haworthia. Duval (Liliacées). — Serre froide.
Multiplication des *Alœ.*

Hebeclinum. De Candolle. — Voir *Eupatorium.*

Hedera. Tournefort ex-Linné (Araliacées) : LIERRE. — Plein air.
Bouturage au printemps ou en automne : sous verre. Division. Greffage. Semis.

HEDERA HELIX « ENGLISH IVY » :

[2] Janvier.........	T	0	
	IA 100/24	100	28
	NA 100/24	100	
[2] Juillet..........	H_2O/4	96	
	IB 30/4	100	

HEDERA HELIX ARBORESCENS :

[1] Juillet-août......	IB 20 000/T	Avec incision 2/3 tourbe + 1/3 sable.

Hedychium. Kœnig (Scitaminales, Zingibéracées). — Plein air en été ou dans le Midi.
Multiplication des *Canna.*

Helenium. Linné (Composées Radiées). — Plein air.
Division des touffes au printemps ou en automne.

Helianthemum. Adam (Cistacées). — Plein air.
Bouturage sous verre. Division. Semis.

Helianthus. Linné (Composées Radiées) : TOPINAMBOUR (*H. tuberosus*). — Plein air.
Division des souches (en automne et en hiver).

Helichrysum. Vaillant ex-Linné (Composées Radiées, Gnaphaliées) : IMMORTELLES. — Serre froide et plein air.
Espèces vivaces : Bouturage.

Helicodiceros. Schott (Aracées). — Plein air dans le Midi.
Séparation des bourgeons du tubercule.

Heliconia. Linné (Scitaminales, Musacées). — Serre chaude.
Séparation des rejets.

Heliotropium. Linné (Boraginacées Héliotropées) : HÉLIOTROPE. — Serre tempérée.
Bouturage au printemps, de pousses herbacées, à l'étouffée.

Helleborus. Linné (Renonculacées) : ROSE DE NOEL. — Plein air.
Division des touffes en automne.

Hemerocallis. Linné (Liliacées Hémérocallidées). — Plein air.
Division des souches en automne.

Hepatica. Dillenius ex-Linné (Renonculacées). — Plein air.
Division des touffes en fin d'été.

Heracleum. Linné (Ombellifères) : BERCE. — Plein air.
Division des souches en automne et au printemps.

Hesperis. Linné (Crucifères) : JULIENNE. — Plein air.
Semis. Division des touffes. Boutures (sous cloche, septembre).

Heteromata. R. Brown (Lobéliacées). — Serre tempérée.
Bouturage (printemps).

Heuchera. Linné (Saxifragacées). — Plein air.
Division (printemps). Semis.

HEUCHERA TIARELLOIDES (bouturage) :

[2] Juin............	$H_2O/24$	0	
	IB 33/24	100	14

Hexacentris. Nees (Acanthacées). — Serre chaude.
Voir *Thunbergia.*

Hibbertia. Andrews (Dilléniacées). — Serre tempérée.
Bouturage au printemps, de branches aoûtées, à l'étouffée.

Hibiscus (Malvacées).

H. rosa sinensis (ROSE DE CHINE) : serre tempérée l'hiver, plein air l'été.
Bouturage de rameaux demi-aoûtés, sous verre, au printemps ou en été.

H. syriacus : plein air.
Greffage pour variétés sur sujets issus de semis. Bouturage.

[2] Juillet..........	$H_2O/6$	52		
	IB 50/6	100	36	
[1] Juillet..........	IB 10 000/T			Avec incision.
	20 000/T			Sans incision.

Hieracium. Linné (Composées Liguliflores) : ÉPERVIÈRE. — Plein air.
Division des souches, stolons.

Hippeastrum. Herbert (Amaryllidacées). — Serre tempérée, plein air l'été.
Séparation des caïeux. Boutures d'écailles de bulbes. Semis.

Hippophæ. Linné (Éléagnacées) : ARGOUSIER. — Plein air.
Bouturage (rameaux défeuillés l'hiver, pousses demi-aoûtées l'été). Marcottage (couchage en buttage). Semis.

Hohenbergia. Schultes. — Voir *Æchmea.*

Holbœllia. Wallroth (Berbéridacées). — Serre froide; plein air dans le Midi.
Bouturage (à chaud).

Holodiscus. Maximovics (Rosacées). — Plein air.
Culture et multiplication des *Spiræa.*

Homalomena. Schott (Aracées Colocasiées). — Serre chaude.
Division des souches. Bouturage (têtes ou tronçons de tige). Marcottage.

Horminum. Tournefort (Labiées). — Plein air; rocailles.
Division des touffes. Semis.

Hortensia. — Voir *Hydrangea.*

Hoteia. Morrin et Decaisne. — Voir *Astilbe.*

Hottonia. Bœrhaave ex-Linné (Primulacées). — Plein air; aquatique.
Séparation des rameaux enracinés.

Houstonia. Gronovius ex-Linné (Rubiacées). — Serre tempérée.
Multiplication des *Bouvardia.*

Houttea. Decaisne (Gesnéracées). — Serre chaude.
Culture et multiplication des *Gesnera.*

Houx. — Voir *Ilex.*

Hovea. Robert Brown (Papilionacées). — Serre froide.
Semis. Bouturage, sous verre l'été (difficile).

Hovenia. Thunberg (Rhamnacées). — Plein air avec abri.
Bouturage de rameaux ou de racines.

Hoya. Robert Brown (Asclépiadacées). — Serre tempérée.
Bouturage à l'air libre en serre. Marcottage.

Hyacinthus. (Tournefort) Linné (Liliacées Scillées) : JACINTHE D'ORIENT, J. ROMAINE. — Plein air.
Séparation des caïeux.
(L'émission de bulbilles est favorisée par l'incision du plateau, le bulbe étant planté retourné.)
Bouturage d'écailles.

Hydrangea. Gronovius ex-Linné (Saxifragacées) : HORTENSIA (*H. hortensis*). — Plein air.

Bouturage de rameaux herbacés (printemps, serre tempérée) ou aoûtés (sous verre, à froid, en été).

	HYDRANGEA PANICALUTA :			
[2] Juin...........	T	20	45	
	IB 20/24	80	45	
[2] Juillet..........	T	40		
	IB 20/24	100	30	
[2] Décembre.......	T	22		
	IA 100/20	100	16	
	HYDRANGEA PETIOLARIS :			
[1] Mai-août	IB 10 000/T			4/5 tourbe + 1/5 sable
[2] Juillet..........	T	60		
	IA 200/24	60	42	
	HYDRANGEA QUERCIFOLIA :			
[2] Juillet..........	T	10		
	IB 4 000/T	100	39	
	HYDRANGEA SARGENTIONA :			
[2] Juillet..........	T	0		
	IA 200/24	100	39	
	HYDRANGEA SCANDENS :			
[2] Juillet..........	T	60		
	IA 200/24	60	39	

Hydrocharis. Linné (Hydrocharidacées). — Plein air; aquatique.
Séparation d'hibernacles ou de tiges stonifères.

Hydrocleys. Richer (Alismacées). — Plein air en été; aquatique.
Se multiplie comme l'*Hydrocharis.*

Hylomecon. Maximovicz (Papavéracées). — Plein air.
Division des rhizomes fragiles au début du printemps.

Hymenanthera. R. Brown (Violariacées). — Plein air.
Bouturage de rameaux aoûtés.

Hymenocallis. Salisbury (Amaryllidacées). — Serre chaude.
Division des bulbes.

Hypericum. Tournefort ex-Linné (Hypéricacées) : MILLEPERTUIS. — Plein air.
Division. Bouturage sous verre. Marcottage et semis (suivant les espèces).

Hypocyrta. Martins (Gesnéracées). — Serre tempérée; sous arbrisseau.
Bouturage au printemps ou en été.

Hypoestes. Solander ex-R. Brown (Acanthacées). — Serre chaude.
Bouturage facile.

Hypolepis. Bernhard (Fougères). — Serre tempérée.
Semis des spores. Division des touffes. Séparation des proliférations des frondes.

Hyssopus. Linné (Labiées). — Plein air.
Éclats. Bouturage. Semis.

Iberis. Linné (Crucifères) : THLASPI. — Plein air.
Espèces annuelles : semis.
Espèces vivaces : bouturage, sous verre, en août-septembre. Division de souche.

Idesia. Maximovicz (Bixacées). — Plein air.
Semis. Bouturage.

If. — Voir *Taxus*.

Igname. — Voir *Dioscorea*.

Ilex. Linné (Ilicacées) : HOUX. — Plein air.
Semis. Greffage pour variétés. Bouturage août, reprise lente (plus ou moins difficile suivant espèces et variétés, emploi des auxines très efficace).

		ILEX AQUIFOLIUM :			
		H_2O/8	0		
[2]	Janvier.........	IA 100/8	71 (10)	35	
		ILEX AQUIFOLIUM « AUREO-MARGINATA » :			
		H_2O/18	0		
[2]	Mars...........	IA 50/18	100	97	Traitées à 25° C.
		IB 50/18	95	97	
		NA 25/18	93	97	
		ILEX CORNUTA :			
[2]	Décembre.......	T	0		
		IB 4 000/T	36	57	Bouture de feuille.
[2]	Décembre.......	T	20		
		IB 4 000/T	100		Bouture de tête.
		ILEX CORNUTA « BURFORDI » :			
[2]	Décembre.......	T	68		
		IB 2 000/T	88	60	Bouture de feuille.
		T	100		
		IB 4 000/T	100		Bouture de tête.
		ILEX CRENATA :			
[2]	Juin............	T	57		
		IB 80/4	100	42	
		ILEX CRENATA « CONVEXA » :			
[2]	Novembre......	T	0		
		IB 40/18	100	25	
		ILEX OPACA :			
[2]	Août...........	H_2O/18	0		
		IB 100/18	96	23	
		ILEX (DIVERSES ESPÈCES ET VARIÉTÉS)			
[3]	Août à février...	IB 4 à 20 000/T			Avec incision, tourbe + sable.

Illicium. Linné (Magnoliacées) : BADIANE ou ANIS ÉTOILÉ. — Serre froide, plein air dans l'Ouest et le Midi.
Marcottage sur pied. Bouturage de rameaux jeunes et aoûtés.

Impatiens. Linné (Balsaminacées) : BALSAMINES. — Plein air, l'été, serre tempérée l'hiver.
Espèces vivaces : Semis. Bouturage sous verre.

Incarvillea. Jussieu (Bignoniacées). — Plein air.
Division des souches pour les espèces vivaces.

Indigofera. Linné (Papilionacées) : INDIGOTIER. — Plein air et serre froide.
Marcottage en butte. Semis. Division de touffes. Bouturage sous verre des rameaux aoûtés (difficile).

Inga. Scopoli (Légumineuses Mimosées). — Serre tempérée.
Bouturage au printemps, serre à multiplication tempérée, rameaux demi-aoûtés.

Inula. Linné (Composées Radiées) : INULE, AUNÉE (*I. Helenium*). — Plein air.
Division des souches.

Iochroma. Bentham (Solanacées). — Serre tempérée.
Bouturage à l'herbacé, au printemps.

Ipomæa. Linné (Convolvulacées) : VOLUBILIS (*I. purpurea* Roth, etc.); PATATE (*I. Batatas*). — Plein air et serre tempérée.
Espèces vivaces : Boutures de jeunes pousses (de préférence avec talon pris sur le tubercule) au printemps.
(Hiverner les tubercules et les mettre en végétation, sous verre à chaud, à la fin de l'hiver.)

Iresine. P. Brown (= *Achyranthes*) (Amarantacées). — Serre tempérée, puis plein air pour garnitures estivales et mosaïques.
Bouturage de pousses herbacées, au printemps ou en été, sous verre.

Iris. Tournefort ex-Linné (Iridacées). — Plein air.
Séparation des caïeux ou division des rhizomes suivant les espèces.

Isolepis. R. Brown (Cypéracées). — Serre tempérée et plein air, selon les espèces.
Division de touffes.

Isoloma. Decaisne (Gesnéracées). — Serre tempérée.
Bouturage (toute l'année). Séparation de drageons.

Itea. Linné (Saxifragacées). — Plein air.
Séparation de drageons. Bouturage de racines ou de pousses feuillées. Marcottage. Semis.

Ixia. Linné (Iridacées). — Plein air.
Séparation des caïeux en automne.

Ixora. Linné (Rubiacées). — Serre chaude.
Bouturage sous verre, avec chaleur de fond.

Jacaranda. Jussieu (Bignoniacées). — Orangerie. Plein air dans le Midi.
Bouturage de pousses demi-aoûtées à l'ombre.

Jacinthe. — Voir *Hyacinthus*, *Galtonia* et *Eichhornia*.

Jacobinia. Moris (Acanthacées). — Serre tempérée ou froide.
Bouturage sous verre toute l'année.

Jacquinia. Linné (Myrsinacées, Théophrastées). — Serre chaude.
Bouturage en hiver, sur fond chaud, branches demi-aoûtées.

Jalousie. — Voir *Dianthus.*

Jambosa. De Candolle (Myrtacées) : POMME-ROSE. — Serres ou plein air dans le Midi; selon les espèces.
Bouturage (souvent difficile, comme pour les *Eugenia*).

Jamesia. Torrey et Gray (Saxifragacées). — Plein air.
Bouturage de pousses feuillées. Semis. Marcottage. Division.

Jasminum. (Tournefort) Linné (Oléacées) : JASMIN. — Plein air, serre froide et serre tempérée.
Bouturage de rameaux aoûtés, sous verre. Greffage sur *J. Officinale.* Division.

Jatropha. Linné (Euphorbiacées). — Serre chaude.
Bouturage à chaud après avoir laissé sécher la plaie.

Joubarbe. — Voir *Sempervivum.*

Juglans. Linné (Juglandacées) : NOYER. — Plein air.
Semis. Greffage.

Juniperus. Linné (Conifères Cupressinées) : GENÉVRIER. — Plein air.
Bouturage de rameaux aoûtés. Marcottage. Semis. Greffage.

JUNIPERUS CHINENSIS « JAPONICA » :

[2]	Janvier.........	T	52		
		IB 4 000/T	92	95	

JUNIPERUS CHINENSIS « PFITZERIANA » :

[2]	Janvier.........	T	11 (1)		
		IB 150/24	70 (24)	90	

JUNIPERUS CHINENSIS « MEYERI » :

[2]	Avril...........	H_2O/4	0		Dans le sable de rivière.
		IA 200/4	20 (1)	67	
		NA 100/4	100 (5)		

JUNIPERYS COMMUNIS « DEPRESSA PLUMOSA » :

[2]	Juillet..........	T	21		
		IB 20/6	80	98	

JUNIPERUS EXCELSA « STRICTA » :

[2]	Juillet..........	H_2O/54	10		
		IB 40/54	35	97	

JUNIPERUS SABINA « TAMARISCIFOLIA » :

[2]	Novembre......	H_2O/24	20 (3)		
		IB 80/24	92 (7)	108	21° C. Tourbe + sable.
		NA 2 000/T	64 (6)		

JUNIPERUS (DIVERSES ESPÈCES ET VARIÉTÉS) :

[3]	Décembre-février	IB 4 000-20 000/T			Avec incision. 1/4 tourbe + 3/4 sable.

Justicia. Houston ex-Linné (Acanthacées). — Serre tempérée.
Bouturage, sous verre, en toutes saisons.

Kaki. — Voir *Diospyros.*

Kalanchœ. Adanson (Crassulacées). — Serre tempérée.
Suivant les espèces : Séparation de bourgeons racinés naissant dans les crans des feuilles. Bouturage de rameaux feuillés. Bouturage de feuilles.

Kalmia. Linné (Éricacées). — Plein air.
Semis. Marcottage. Bouturage (difficile) de rameaux aoûtés, sous verre.

[2] Juillet..........	T	20		Bouturage d'œil axillaire
	IB 90/24	80	133	avec feuille.
[2] Janvier..........	T	12		
	IA 100/48	66	150	

Kennedya. Ventenat (= *Hardenbergia*) (Papilionacées Phaséolées). — Serre froide.
Semis. Bouturage en automne.

Kerria. De Candolle (Rosacées Spiræées) : Corete. — Plein air.
Bouturage de rameaux aoûtés ou de racines. Division.

Keteleeria. Carrière (Conifères). — Plein air dans l'Ouest et le Midi.
Bouturage difficile.

[2] Décembre.......	H_2O/24	0	
	IA 100/24	100	49

Kleinia. Linné (Composées Radiées). — Serre froide et tempérée.
Bouturage facile.

Kniphofia. Mœnch. — Voir *Tritoma.*

Kœlreuteria. Laxman (Sapindacées) : Savonnier. — Plein air.
Semis. Séparation de drageons. Marcottage. Bouturage de racines.

Kœniga. Bentham ex-Hooker (Crucifères). — Plein air; bordures.
Bouturage en serre froide.

Kolkwitzia (Amabilis). Graebner (Caprifoliacées). — Plein air.
Semis. Bouturage sous verre de rameaux et de racines.

[2] Juin............	H_2O/10	4	40	
	IB 80/10	92		
[2] Juillet..........	T	0	35	
	IB 60-100/4	100		
[1] Juillet..........	IB 10 000/T			4/5 tourbe + 1/5 sable.
[3] Juillet..........	IB 4 000/T			

Laburnum (Medikus) (Légumineuses papilionacées).
Semis. Greffage. Bouturage de rameaux ligneux.

LABURNUM VOSSII :

[1] Février-mars....	IA 100/24		Avec incision.

Lachenalia. Jacquin (Liliacées Scillées). — Plein air en été ou dans le Midi.
Séparation des bulbes et caïeux en automne. Bouturage de feuilles.

Lachnæa. Linné (Thyméléacées). — Serre froide ou tempérée.
Bouturage en terre de bruyère. Marcottage.

Lagerstrœmia. Linné (Lythracées). — Serre froide : plein air dans le Sud-Ouest et le Midi; rustique quand il est bien établi.
Bouturage de pousses herbacées au printemps ou de rameaux aoûtés l'hiver

[2] Septembre......	T	30	
	IB 1 000/T	60	38

Lambertia. Smith (Protéacées). — Serre froide.
A multiplier comme les *Protea* et *Banksia*.

Lamium. (Tournefort) Linné (Labiées Stachydées) : LAMIER, ORTIE BLANCHE (*Lamium album*). — Plein air.
Bouturage en été sous verre.

Lantana. Linné (Verbénacées) : CAMARA. — Serre tempérée, plein air en été.
Bouturage de pousses tendres au printemps, sous verre.

Lapageria. Ruiz et Pavon (Alstrœmeriacées Philésiées). — Serre froide.
Marcottage en butte. Bouturage difficile.

Lardizabala. Ruiz et Pavon (Lardizabalacées). — Serre froide.
Bouturage sous verre, en serre tempérée.

Larix. Tournefort ex-Adanson (Conifères) : MÉLÈZE. — Plein air.
Semis. Greffage.

LARIX SIBIRICA :

[2] Juin............	H_2O/24	0	Pousses tendres.
	IA 50-100/24	26	
	IA 50-100/24	6	Pousses aoûtées.

Lasiandra. De Candolle (Mélastomacées). — Serre tempérée (Voir *Pleroma*).
Bouturage de pousses herbacées, au printemps, sous verre.

Lathyrus. (Tournefort) Linné (Papilionacées) : GESSE. — Plein air.
Semis. Bouturage possible. Division pour le *L. latifolius*.

Laurus. (Tournefort) Linné (Lauracées) : LAURIER. — Orangerie ou plein air.
L. nobilis : Bouturage à froid sous verre, de pousses aoûtées. Semis. Marcottage.

[2] Décembre.......	T	10 (4)	
	IA 125/18	90 (9)	39

L. camphora : Bouturage difficile.

Lavandula. Tournefort ex-Linné (Labiées) : LAVANDE. — Plein air.
Bouturage sous verre. Division. Marcottage. Semis.

Lavatera. Linné (Malvacées). — Serre froide.
Bouturage de pousses herbacées au printemps, en serre tempérée.

Leea. Linné (Ampélidacées). — Serre chaude.

Ledum. Ruppi ex-Linné (Éricacées). — Plein air.
Séparation de rejets. Marcottage. Bouturage sous verre. Semis.

Bouturage au printemps sur chaleur de fond.

Leiophyllum. Hedwig (Éricacées). — Plein air.
A traiter comme les *Rhododendrons.*

Lemna. Linné (Lemnacées) : Lentille d'eau. — Plein air; aquatique.
Multiplication spontanée par bourgeonnement.

Leycesteria. Wallich in Roxburgh (Caprifoliacées). — Plein air.
Bouturage en plein air, sous cloche, en août-septembre.

Lemonia. Lindley (Rutacées Diosmées). — Serre chaude.
Bouturage des *Diosma* (demande plus de chaleur).

Leonotis. P. Brown (Labiées). — Serre froide.
Bouturage à l'herbacé, pendant toute l'année, en serre à multiplication froide.

Leptospermum. Forster (Myrtacées Leptospermées). — Serre froide; plein air dans l'Ouest et le Midi.

Bouturage à bois aoûté en serre à multiplication tempérée en hiver ou, au mois de juillet, en plein air, sous cloche.

[2] Mai............	T	30 (1)	
	IB 100/20	95 (7)	
	NA 100/20	100 (4)	33

Leschenaultia. Robert Brown (Goodeniacées). — Serre froide.
Multiplication des bruyères.

Lespedeza. Michaux (Papilionacées). — Plein air, surtout dans l'Ouest et le Midi.
Semis. Division. Marcottage. Bouturage de rameaux, sous verre.

[2] Octobre........	T	0
	IA 100/18	66

Leucadendron. Bergen in Vittadini (Protéacées). — Serre tempérée.
Bouturage difficile. Marcottage à reprise lente.

Leucanthemum. (Tournefort) Linné (Composées Radiées) : Marguerites. — Plein air.

Division des souches. Bouturage de jeunes pousses au printemps.

Leucoium. Linné (Amaryllidacées) : Nivéole. — Plein air.
Séparation des bulbes en automne.

Leucopogon. Robert Brown (Épacridacées). — Serre froide.
Bouturage en hiver, à l'étouffée, en sable ou fin gravier, dans la serre à multiplication tempérée.

Leucothœ. D. Don (Éricacées). — Plein air.
Multiplication des *Pieris.*

Lewisia. Pursh (Portulacacées). — Plein air.
Semis ou division des souches.

Leycesteria. (Wallich) (Caprifoliacées).
Bouturage sous verre. Semis. Division.

Liatris. Schreber (Composées). — Plein air.
Division des souches au printemps.

Libertia. Sprengel (Iridacées). — Serre froide.
Division des touffes ou séparation des proliférations.

Libocedrus. Endlicher (Conifères). — Plein air.
Semis. Greffage. Bouturage.

[2] Novembre	T	50	
	IB 150/24	100	63

Libonia. K. Koch (Acanthacées). — Serre froide.
Bouturage au printemps, sous verre, en serre tempérée.

Ligeria. Decaisne. — Voir *Gloxinia* et *Sinningia.*

Ligularia. Cassini (Composées Radiées). — Plein air.
Division de touffes en automne.

Ligustrum. (Tournefort) Linné (Oléacées Oléées) : TROÈNES. — Plein air.
Bouturage de rameaux ligneux en plein air ou de pousses feuillées sous verre. Semis. Greffage.

LIGUSTRUM LUCIDUM :

[2] Juillet	H_2O/15	0	
	IB 20/15	28	105

LIGUSTRUM VULGARE « ARGENTA VARIEGATUM » :

[2] Juin	H_2O/1	24 (2)	
	IA 500/1	98 (6)	32

LIGUSTRUM OVALIFOLIUM ARGENTEO MARGINATUM :

[1] Février	NA 37,5/24

Lilas. — Voir *Syringa.*

Lilium. Tournefort ex-Linné (Liliacées Tulipées) : LIS. — Plein air, ou serre tempérée selon espèces.
Bouturage d'écailles. Séparation des bulbilles naturellement issues de la hampe florale ou des caïeux.

Limnanthemum. Gmelin. — Voir *Villarsia.*

Limnocharis. Humboldt, Bonpland et Kunth (Hydrocharitacées). — Serre tempérée et plein air en été; aquatique.
Multiplication des *Hydrocharis.*

Linaria. (Tournefort) Miller (Scrofulariacées) : LINAIRE. — Plein air.
Semis. Bouturage possible de la plantule par l'hypocotyle.

Lindleya. Humboldt, Bonpland et Kunth (Rosacées). — Serre froide.
Boutures aoûtées sous cloche.

Linnæa. Gronovius (Caprifoliacées). — Plein air.
Marcottage par couchage en place.

Linosyris. Torrey et Gray (Composées Radiées). — Plein air.
Division des touffes.

Linum. Tournefort ex-Linné (Linacées) : LIN. — Plein air.
Division des touffes pour les espèces vivaces.

Lippia. Houston ex-Linné (Verbénacées). — Plein air ou orangerie.
Séparation des rameaux radicants pour les espèces rampantes. Marcottage ou bouturage herbacé pour les espèces arbustives.

Liquidambar. Linné (Liquidambaracées) : COPALME. — Plein air.
Semis. Marcottage avec incision. Séparation de rejets.

Liriodendron. Linné (Magnoliacées) : TULIPIER. — Plein air.
Semis.

[2] Juillet..........	T	0	
	IA 200/24	33	42

Lis. — Voir *Lilium*.

Liseron. — Voir *Convolvulus, Calystegia* et *Ipomæa*.

Litchi Chinensis. (Sonn) (Sapindacées). — Arbre fruitier tropical.
Multiplié couramment par semis ou marcottage en l'air.

[2] Mai...........	T	0	
	IA 200/24	100 (10)	60

Lithospermum. (Tournefort) Linné (Boraginacées) : GRÉMIL, HERBE AUX PERLES. — Serre froide.
Bouturage au printemps sous verre, en serre tempérée, éviter l'égout de l'eau de condensation sur les plantes.

[2] Mai...........	T	10	
	IA 50/20	25	
	IB 50/20	40	42
	NA 50/20	55	

Lobelia. Plumier ex-Linné (Lobéliacées). — Plein air et serre froide.
L. erinus : Semis. Bouturage sous verre.
L. cardinalis : Semis. Division des touffes. Bouturage de rejets ou de racines

Locheria. Regel (Gesnéracées). — Serre tempérée.
Bouturage de feuilles ou de tiges. Séparation des bulbilles se développant sous les feuilles.

Lœselia. Linné (Polémoniacées). — Serre tempérée. Plein air en été.
Bouturage de pousses demi-aoûtées.

Lomatia. Robert Brown (Protéacées). — Serre froide.
Marcottage. Bouturage difficile.

Lonicera. Linné (Caprifoliacées) : CHÈVREFEUILLE. — Plein air.
Marcottage. Division des souches. Bouturage de rameaux sous verre (difficile pour le *L. pyrenaica*). Semis. Greffage.

Lopezia. Cavanilles (Onagrariacées). — Serre tempérée.
Bouturage au printemps.

Lophospermum. D. Don (Scrofulariacées). — Serre froide, plein air en été.
Bouturage de pousses prélevées au printemps sur la souche tubéreuse.

Loropetalum. R. Brown (Hamamélidacées). — Serre froide.
Marcottage. Bouturage.

[2] Juin............	H_2O/24	0	
	IB 33/24	100	49

Lotus. (Tournefort) Linné (Papilionacées) : LOTIER. — *L. peliorhynchus Webb.*
Bouturage de rameaux herbacés, sous cloche, à froid.

Lowrya. H. Baillon (Hæmodoracées). — Serre chaude.
Éclatement des touffes à la fin de la période de repos.

Luculia. Sweet (Rubiacées). — Serre tempérée.
Bouturage sous verre, au printemps, sur chaleur de fond.

Lupinus. (Tournefort) Linné (Papilionacées) : LUPIN. — Plein air.
Semis. Division de touffes.

Lychnis. (Tournefort) Linné (Caryophyllacées). — Plein air.
Espèces vivaces : Division de touffes. Bouturage de jeunes pousses.

Lycium. Linné (Solanacées) : LYCIET. — Plein air.
Bouturage sous verre. Division. Marcottage. Semis.

Lycopodium. Linné (Lycopodiacées). — Serre tempérée.
Division des touffes aux début du printemps. Bouturage en serre à multiplication chaude, à l'étouffée (reprise assez difficile).
L. Selago : Séparation des proliférations axillaires.

Lycoris. Herbert (Amaryllidacées). — Serre tempérée et plein air.
Séparation des caïeux.

Lygodium. Swartz (Fougères). — Serre chaude.
Division des bourgeons issus de la souche.

Lyonia. Nuttal (Éricacées). — Plein air.
Traitement des Andromeda.

Lysichitum. Schott (Aracées). — Plein air.
Division des fortes touffes.

Lysimachia. (Tournefort) Linné (Primulacées). — Plein air.
Division des souches en automne.
L. Nummularia : Sectionnement des tiges radicantes.

Lythrum. Linné (Lythracées) : SALICAIRE. — Plein air; aquatique.
Division des souches en automne.

Macleania. Hooker (Éricacées Vacciniées). — Serre tempérée.
Bouturage de rameaux aoûtés, sous verre. Semis.

Maclura. Nuttal (Moracées) : ORANGER DES OSAGES. — Plein air.
Bouturage des racines, ou de rameaux défeuillés.

Mæsa. Forskal (Myrsinacées). — Serre tempérée.
Bouturage en serre à multiplication chaude, sur chaleur de fond.

Magnolia. Linné (Magnoliacées). — Plein air, surtout dans l'Ouest et le Midi.
Marcottage avec incision ou torsion (reprise en deux ans). Greffage sur sujets de semis (*M. tripetala* ou *M. Thomsoniæ*). Bouturage difficile, mais les auxines et la brumisation permettent d'obtenir d'excellents résultats.

MAGNOLIA DENUDATA :

[2] Juillet..........	T	0	
	IA 200/24	80	42

MAGNOLIA LILIFLORA

[2] Août...........	T	21	
	IB 50/22	100	49

MAGNOLIA SINENSIS :

[2] Mai............	T	0	
	IA 200/24	100 (7)	21

MAGNOLIA × SOULANGEANA « CENNEI » :

[2] Juin............	T	32	
	IB 50/22	100	35

MAGNOLIA × « NIGRA » :

[2] Juillet..........	T	0	
	IA 200/24	67	42

MAGNOLIA (DIVERSES ESPÈCES ET VARIÉTÉS) :

[1] Juillet-août......	IB 10-20 000/T NA 1-2 000/T	Avec incision. 2/3 tourbe + 1/3 sable.
[2[Juin-août.......	IB 8-20 000/T	Bois tendre avec incision, brumisation, sable.

Mahernia. Linné (Sterculiacées). — Serre froide.
Bouturage de jeunes pousses, en été, sous cloche.

Mahonia. Nuttal (Berbéridacées). — Plein air.
Semis. Marcottage. Bouturage de rameaux aoûtés sous verre.

MAHONIA (DIVERSES ESPÈCES) :

[1] Septembre-octobre IB 5-20 000/T

Malpighia. Plumier ex-Linné (Malpighiacées). — Serre chaude.
Boutures de jeunes pousses, entièrement feuillées à chaud et sous cloche.

Malus. Tournefort ex-Linné (Rosacées) : POMMIER. — Plein air.

Greffage pour les espèces fruitières ou décoratives. Semis. Marcottage en butte pour les porte-greffes d'*East Malling*. Bouturage (à talon de préférence) (réactions très diverses suivant les variétés cultivées).

MALUS PUMILA « GRIMES GOLDEN » :

[2] Novembre	H_2O/24	0	35	
	IB 20-60/24	75-000		

MALUS PUMILA « MALLING ROOTSTOCK N° 1 » :

[2] Juin............	T	0	21	
	IB 20/24	100		

MALUS PUMILA « RHODE ISLAND GREENING » :

[2] Novembre-février	H_2O/24	0	35	
	IB 20-60/24	75-100		

MALUS PUMILA « STAYMAN WINESAY » :

[2] Mai............	T	0	36	
	IB 8 000/T	100		

MALUS PURPUREA « ELEYI » :

[2] Juillet..........	T	0	35	
	IB 50/4	70		

Malva. Tournefort (Malvacées) : MAUVE. — Serre froide et pleine terre.

Semis. Bouturage au printemps, en serre tempérée.

Malvaviscus. Dillenius (Malvacées). — Serre froide.

Bouturage au printemps, en serre à multiplication, tempérée.

Mammillaria. Haworth (Cactacées). — Serre tempérée.

Bouturage des mamelons (laisser sécher la plaie avant le repiquage, n'arroser que très modérément, surtout au début).

Mandarinier. — Voir *Citrus*.

Mandevillea. Lindley (Apocynacées). — Plein air dans l'Ouest et le Midi.

Bouturage des petites pousses latérales aoûtées.

Mandirola. Decaisne (= *Achimenes*) (Gesnéracées). — Serre tempérée.

Multiplication des *Gloxinia*, *Achimenes*, *Tydae*.

Mandragora. (Tournefort) Linné (Solanacées). — Plein air sous abri.

Division des racines.

Manettia. Mutis (Rubiacées). — Serre tempérée.

Bouturage de pousses herbacées, toute l'année.

Mangifera. Linné (Anacardiacées) : MANGUIER. — Serre chaude.

Greffage par approche sur sujets issus de semis. Bouturage difficile.

[2] —	T	0	210	Marcottes de plants de deux ou trois ans, traitées avec lanoline sur incision.
	IA 10 000/L	80		

Manihot. Tournefort ex-Adanson (Euphorbiacées) : MANIOC. — Serre chaude ou tempérée.

Bouturage des rameaux demi-aoûtés; division des tubercules.

Maranta. Plumier ex-Linné (Scitaminales, Marantacées). — Serre chaude.
Division des touffes, séparation des drageons, au printemps. Bouturage pour certaines espèces (*Lietzei*, *Massangeana*, etc.).

Marattia. Smith (Fougères Marattiacées). — Serre tempérée.
Bouturage d'écailles, en serre à multiplication chaude.

Marica. Ker-Gawler (Iridacées). — Serre tempérée.
Bouturage des pousses issues des tiges florales.

Matricaria. (Tournefort) Linné (Composées Radiées). — Plein air ou serre froide.
Bouturage de la variété à fleurs doubles.

Matthiola. R. Brown (Crucifères) : GIROFLÉE QUARANTAINE. — Plein air.
Bouturage possible.

Maurandia. Ortega (Scrofulariacées). — Serre froide; plein air en été.
Bouturage sous verre et à chaud.

Mazus. Loureiro (Scrofulariacées). — Serre froide.
Bouturage facile.

Meconopsis. Vigers (Papavéracées). — Plein air.
Division de touffes effectuées soigneusement.

Medinilla. Gaudichaud (Mélastomacées). — Serre chaude.
Bouturage à l'étouffée sur chaleur de fond.

Melaleuca. Linné (Myrtacées Leptospermées). — Serre froide; plein air dans le Midi.
Bouturage en hiver et au printemps, en serre à multiplication tempérée et à l'étouffée.

Melastoma. Burmann ex-Linné (Mélastomacées). — Serre chaude.
Bouturage à chaud, au printemps.

Melia. Linné (Méliacées) : LILAS DES INDES. — Serre froide; plein air dans le Midi et l'Ouest.
Semis. Bouturage possible sous verre et à chaud.

Melianthus. Linné (Sapindacées Mélianthées). — Plein air sous abri.
Séparation des rejets. Boutures sur couche tiède.

Melissa. Tournefort ex-Linné (Labiées) : MÉLISSE. — Plein air.
Division des touffes.

Melittis. Linné (Labiées). — Plein air.
Division des touffes.

Melocactus. (Tournefort) Link et Otto (Cactacées). — Serre tempérée.
Multiplication des *echinocactus*.

Melon. — Voir *Cucumis*.

Melothria. Linné (Cucurbitacées). — Plein air en été.
Boutures herbacées prises sur les pieds-mères en serre.

Menispermum. (Tournefort) Linné (Ménispermacées). — Plein air.
Bouturage au printemps, ou division de souche.

Mentha. (Tournefort) Linné (Labiées) : MENTHE. — Plein air.
Bouturage en plein air, à l'ombre, en août-septembre. Division des touffes.

Menyanthes. Linné (Gentianacées) : TRÈFLE D'EAU. — Plein air; aquatique.
Division des touffes et des rameaux rampants.

Menziesia. Smith (Éricacées). — Plein air.
Marcottage en juillet-août, dans les abris en plein air, sous cloche. Bouturage.

Merendera. Ramond de Carbonnières (Liliacées Colchicées). — Plein air.
Séparation des bulbilles. Semis.

Mertensia. Roth (Boraginacées). — Plein air.
Tronçonnement des racines, en plein air, au printemps.

Mesembrianthemum. Dillenius ex-Linné (Mesembrianthémacées) : FICOIDES. — Serre froide; plein air dans le Midi.
Bouturage en serre ou sur couche, sans étouffer (laisser ressuyer les plaies de coupe avant le repiquage).

Mespilus. (Tournefort) Linné (Rosacées) : NÉFLIER. — Plein air.
Semis et greffage sur aubépine.

Methonica. Tournefort ex-Crants. — Voir *Gloriosa.*

Metrosideros. Banks ex-Gaertner (Myrtacées Leptospermées). — Serre froide.
Bouturage d'hiver en serre tempérée.

Meyenia. Nees. — Voir *Thumbergia.*

Miconia. Ruiz et Pavon (Mélastomacées). — Serre tempérée ou chaude.
Bouturage au printemps, en serre à multiplication chaude, sur chaleur de fond

Microglossa. De Candolle (Composées Radiées). — Plein air.
Multiplication des asters.

Mignardise. — Voir *Dianthus.*

Mikania. Wildenow (Composées Radiées). — Serre chaude.
Bouturage au printemps, à l'herbacé, en serre à multiplication chaude.

Mimosa. Linné (Légumineuses Mimosées). — Serre tempérée.
Semis.

Mimulus. Linné (Scrofulariacées). — Plein air.
Semis. Bouturage sous verre. Division.
M. moschatus (MUSC) : Tronçonnement des tiges souterraines au début du printemps.

Mirabilis. Rivinus ex-Linné (Nyctaginacées) : BELLE DE NUIT. — Plein air en été.
Semis. Division de la souche.

Miscanthus. Anderson (Graminées). — Plein air.
Division de touffes.

Mitraria. Cavanilles (Gesnéracées). — Serres.
Bouturage en mars, en serre à multiplication tempérée, sous verre à l'étouffée. Division de souches.

Molinia. Schrank (Graminées). — Plein air.
Division de touffes.

Monarda. Linné (Labiées). — Plein air.
Division des souches en automne et séparation des drageons.

Monochœtum. De Candolle (Mélastomacées). — Serre tempérée, ou même froide
Bouturage au printemps avec des branches herbacées, non boutonnées, en serre à multiplication tempérée, sous verre.

Monsonia. Linné (Géraniacées). — Serre froide; plein air dans le Midi.
Division de souches. Bouturage de racines. Bouturage de rameaux sous verre.

Monstera. Adanson (Aracées). — Serre tempérée.
Bouturage en serre chaude de tronçons de tige comprenant trois nœuds, sur bonne chaleur de fond.

Montanoa. Cervantès (Composées Radiées). — Serre tempérée, plein air en été.
Bouturage de pousses issues de pieds hivernés en serre.

Montbretia. De Candolle (Iridacées). — Plein air.
Séparation des caïeux en août-septembre, stratification en hiver, plantation au printemps.

Moræa. Miller ex-Linné (Iridacées). — Serre froide.
Séparation des stolons.

Morina. Tournefort ex-Linné (Dipsacées). — Plein air.
Séparation d'éclats.

Morus. (Tournefort) Linné (Urticacées Morées) : MURIER. — Plein air.
Bouturage automnal de rameaux défeuillés sous verre. Marcottage. Semis. Greffage.

Muehlenbeckia. Meissner (Polygonacées). — Serre froide.
Bouturage de pousses herbacées en serre tempérée.

Muguet. — Voir *Convallaria.*

Mulgedium. Cassini (Composées Liguliflores). — Plein air.
Séparation de drageons. Division de touffes.

Murier. — Voir *Morus.*

Murraya. Linné (Rutacées) : BOIS DE CHINE. — Serre chaude.
Bouturage à l'étouffée de rameaux aoûtés munis de leurs feuilles.

Murucuja. Tournefort ex-Medikus (Passifloracées). — Serre chaude et tempérée.
Se multiplie comme les *Passiflora.*

Musa. Linné (Scitaminales, Musacées) : BANANIER. — Serre tempérée ou chaude, ou même plein air sous abri, selon les espèces.
Espèces drageonnantes : Séparation des gros drageons, surtout après la floraison. Semis. Division.
M. Maurelli : Bouturage de bourgeons adventifs pris sur souches décapitées et mises en végétation (craint la pourriture).

Muscari. Tournefort ex-Miller (Liliacées Scillées). — Plein air.
Séparation des bulbes, bulbilles et caïeux, en automne.

Mussænda. Burmann ex-Linné (Rubiacées). — Serre chaude.

Bouturage au printemps, à l'herbacé, en serre à multiplication tempérée, sous verre et sur chaleur de fond.

Musschia. Dumortier (Campanulacées). — Serre froide.

Bouturage en serre à multiplication tempérée.

Mutisia. Linné f. (Composées). — Serre tempérée.

Bouturage au printemps, à l'herbacé, en serre à multiplication tempérée ou sur couche tiède, à l'étouffée (difficile).

Myoporum. Bankset Solander (Myoporacées). — Serre froide.

Bouturage facile au printemps, en serre à multiplication tempérée sous verre.

Myosotidium. Hooker (Boraginacées). — Serre froide.

Bouturage des rameaux latéraux, en serre à multiplication tempérée, au printemps.

Myosotis. (Tournefort) Dillenius ex-Linné (Boraginacées). — Plein air.

M. palustris : Division ou bouturage (facile).

Myriophillum. Pontederi ex-Linné (Haloragacées). — Plein air; aquatique.

Bouturage dans l'eau.

Myristica. Linné (Myristicacées) : Muscadier. — Serre tempérée.

Marcottage. Bouturage difficile.

Myrsiphyllum. Willdenow (= *Medeola*) (Liliacées). — Serre tempérée.

Multiplication des *Asparagus*.

Myrtille. — Voir *Vaccinium*.

Myrtus. (Tournefort) Linné (Myrtacées) : Myrte. — Serre froide; plein air dans le Midi et dans l'Ouest.

Bouturage à bois aoûté, à l'automne, en serre à multiplication tempérée.

[2] Décembre.......	T	0	
	IA 100/22	58 (15)	35

Nægelia. Regel (Gesnéracées). — Serre tempérée.
Division des rhizomes. Bouturage comme les *Gloxinia.*

Nandina. Thunberg (Berbéridacées). — Plein air.
Bouturage de pousses aoûtées ou d'œil. Marcottage. Division. Semis.

Napoleona. Palisot de Beauvois (Napoléonacées). — Serre chaude.
Bouturage en hiver, avec bois aoûté, en serre à multiplication chaude.

Narcissus. Linné (Amaryllidacées) : NARCISSES et JONQUILLES. — Plein air.
Séparation des caïeux en automne.

Nardosmia. Cassini (Composées Radiées) : HELIOTROPE D'HIVER. — Plein air.
Division.

Nasturtium. Linné (Crucifères) : CRESSON. — Plein air.
Bouturage de tronçons de rameaux. Semis.

Néflier. — Voir *Mespilus.*

Neillia. D. Don (Rosacées). — Plein air.
Séparation de drageons. Marcottage. Bouturage sous verre. Semis.

Nelumbium. Jussieu (Nymphæacées). — Plein air; aquatique.
Division des souches rhizomateuses au printemps ou en été.

Nepenthes. Linné (Népenthacées). — Serre chaude.
Bouturage en serre chaude, à l'étouffée, sur fond chaud et humide, pendant l'hiver, afin de renouveler les plantes pour l'été, en *Sphagnum* pur.

Nepeta. Linné (Labiées) : CHATAIRE. — Plein air.
Division des touffes au début du printemps. Bouturage à froid sous verre.

Nérine. Herbert (Amaryllidacées). — Plein air.
Division des bulbes en août-septembre.

Nerium. Linné (Apocynacées Échitées) : LAURIER-ROSE. — Plein air dans l'Ouest et le Midi; serre froide.
Bouturage et marcottage faciles. Reprend bien dans l'eau.

Nephrodium. Richer (Fougères) : FOUGÈRE MALE (*N. filix-mas*). — Plein air.
Division des souches, en automne ou au début du printemps.

Nephrolepis. Schott (Fougères). — Serre tempérée.
Séparation des stolons.

Nertera. Banks et Solander (Rubiacées). — Serre froide.
Division de touffes.

Nesæa. Commerson ex-Jussieu (Lythracées). — Serre froide; plein air dans le Midi.
Bouturage facile.

Neviusia. Asa Gray (Rosacées). — Plein air.
Boutures de rameaux sous verre, et de racines. Division. Marcottage. Semis.

Nicotiana. Linné (Solanacées) : TABAC. — Plein air et serre tempérée.
Espèces vivaces : Bouturage de pousses issues de pieds hivernés en mars, à chaud sous verre (aérer souvent : craignent la pourriture).

Nidularium. Lemaire (Broméliacées). — Serre chaude.
Comme les *Aechmea.*

Nierembergia. Ruiz et Pavon (Solanacées). — Serre froide; plein air l'été.
Bouturage sous verre en automne ou au printemps.

Niphæa. Lindley (Gesnéracées). — Serre chaude.
Multiplication des *Achimènes*.

Noisetier. — Voir *Corylus*.

Nolina. Michaux (Liliacées). — Serre froide; plein air dans le Midi.
On peut réussir des boutures ou éclater les rejets.

Noyer. — Voir *Juglans*.

Nuphar. Sibthrop et Smith (Nymphéacées) : NÉNUPHAR JAUNE. — Plein air; aquatique.
Division des souches rhizomateuses en automne ou au début du printemps.

Nuttalia. Torrey et Gray (Rosacées). — Plein air.
Séparation de drageons. Marcottage. Bouturage de racines. Semis.

Nymphæa. (Tournefort) Linné (Nymphéacées) : NÉNUPHAR BLANC. — Plein air; aquatique.
Comme le *Nuphar*.

Nyssa. Gronovius ex-Linné (Cornacées Nyssées) : TUPELO. — Plein air.
Semis. Bouturage de racines. Marcottage.

Ochna. Linné (Ochnacées). — Serre tempérée.
Bouturage en serre à multiplication tempérée, à l'étouffée.

Ocimum. Linné (Labiées) : BASILIC. — Serre froide et plein air.
Conservation possible d'une année à l'autre par le bouturage.

Œillet. — Voir *Dianthus*. — **Œillet d'Inde.** — Voir *Tagetes*.

Œnothera. Linné (Onagrariacées). — Plein air.
Semis. Bouturage en juin-juillet, sous cloche en plein air.

Oignon. — Voir *Allium*.

Olea. (Tournefort) Linné (Oléacées) : OLIVIER. — Serre froide; plein air dans le Sud-Ouest et le Midi.
Semis. Bouturage des grosses racines, que l'on plante le gros bout un peu incliné en bas. Greffage.

OLEA FRAGANS :

[2] —	T	0		Pousses herbacées.
	IA 500/8	20		
[2] —	T	0		Jeune bois.
	IA 500/24	70		
[2] —	T	0		Vieux bois.
	IA 200/16	39		

OLEA EUROPAEA « MANZANILLO » :

[2] Avril...........	T	3		Avec chaleur de fond de
	IB 50/24	79	70	25° et hygrométrie de 90 à 100 %.

Olearia. Mœnch (Composées). — Plein air, surtout dans l'Ouest.
Bouturage de pousses demi-aoûtées, en été, sous verre. Marcottage et division.

Olivier. — Voir *Olea.* — **Olivier de Bohème.** — Voir *Elaegnus.*

Omphalodes. Tournefort ex-Mœnch (Boraginacées). — Plein air.
Espèces vivaces : division des touffes en automne.

Ononis. Linné (Papilionacées) : Bugrane. — Plein air.
Semis. Division de souches.

O. fruticosa : Marcottage.

O. rotundifolia : Bouturage de racines.

Onosma. Linné (Boraginacées). — Plein air.
Bouturage des jeunes pousses à l'étouffée.

Ophiopogon. Ker-Gawler (Liliacées). — Plein air, dans l'Ouest et le Midi.
Division des touffes au printemps.

Oplismenus. Palisot de Beauvois (Graminées). — Serre tempérée et plein air, selon les espèces.
Division des touffes pour les espèces vivaces.

Opuntia. Tournefort ex-Miller (Cactacées) : Figuier de Barbarie. — Serre froide ou plein air, selon les espèces.
Bouturage facile l'été, la plaie de coupe étant ressuyée.

Oranger. — Voir *Citrus.* — **Oranger des Osages.** — Voir *Maclura.*

Orchidacées (ou Orchidées).
Division des souches au début de la végétation.

Odontoglossum, Cattleya, Stanhopea : Bouturage de pseudobulbes (de réussite très aléatoire) sur sphagnum, en serre chaude ombrée (par émission possible de bourgeons s'enracinant ultérieurement).

Dendrobium, vanda, vanilla : Bouturage de sections de tiges au printemps.

Cypripedium : Utilisation des vieux pieds : disposer une rosette de vieilles feuilles sur sphagnum, à chaud. Les bourgeons axillaires peuvent se développer et s'enraciner.

Oreopanax. Decaisne et Planchon (Araliacées). — Serre tempérée; plein air sur la Cote-d'Azur.
Bouturage en automne, sous verre, dans la serre à multiplication tempérée à chaud (reprise lente) (ou au printemps). Marcottage.

Origanum. — Linné (Labiées) : Origan, Marjolaine fleurie. — Plein air.
Division des touffes au début du printemps.

Ornithogalum. (Tournefort) Linné (Liliacées Scillées). — Plein air ou serre humide selon les espèces.
Séparation des bulbes et caïeux en automne. Bouturage des écailles des bulbes comme les *Lis.*

Ornus. Necker : Frêne fleuri. — Voir *Fraxinus.*

Orobus. (Tournefort) Linné (Papilionacées). — Plein air.
Division des souches en automne.

Oseille. — Voir *Rumex.*

Osier. — Voir *Salix.*

Osmanthus. Loureiro (Oléacées). — Plein air.
Bouturage en automne-hiver, à bois dur, en serre à multiplication tempérée avec les *Aucuba* et les *Fusains*. Greffage sur Troène. Marcottage.

	OSMANTHUS DELAVAYI :			
[2] Juillet..........	$H_2O/24$	0		
	IA 50/24	45	56	
	NA 50/24	0		
	OSMANTHUS FRAGRANS :			
[2] Décembre.......	T	32		Bouture de feuille avec œil axillaire.
	IB 11 100/T	32	85	
[2] Décembre.......	T	40		
	IB 11 100/T	100		Bouture de tête.
	OSMANTHUS ILICIFOLIUS :			
[2] Décembre.......	T	55 (1)		
	IA 100/22	100 (6)	41	

Osmunda. Linné (Fougères) : FOUGÈRE ROYALE (*O. regalis*). — Plein air ou serre.
Division des grosses souches.

Ostéomeles. Lindley (Rosacées). — Serre froide; plein air dans le Midi.
Bouturage de pousses herbacées.

Ostéospermum. Linné (Composées). — Serre froide; plein air dans le Midi.
Bouturage au printemps, sous verre, à chaud.

Ostrowskia. Regel (Campanulacées). — Plein air.
Division des souches tubéreuses.

Ostrya. Micheli ex-Linné (Amentacées). — Plein air.
Semis. Greffage. Marcottage.

Othonna. Linné (Composées Radiées). — Serre tempérée; plein air sur la Côte d'Azur.
Division ou bouturage au printemps.

Othonnopsis. Jaubert et Spach (Composées Radiées). — Plein air sous abri.
Comme *Othonna*.

Ouvirandra. Dupetit-Thouars (Naïadacées). — Serre chaude; aquatique.
Division.

Oxalis. Linné (Oxalidacées). — Plein air.
Division de souches. Séparation de bulbilles. Bouturage (en automne).

Oxyanthus. De Candolle (Rubiacées). — Serre tempérée.
A traiter comme les *Gardenia*.

Oxycoccos. Hedwig (Éricacées Vacciniées) : CANNEBERGE. — Plein air; tourbières.
Séparation de rameaux radicants.

Oxydendron. Dietrich (Éricacées). — Plein air.
Multiplication des *Andromeda*.

[2] Juillet..........	T	0		Pousses terminales de 5 ou 6 cm de long.
	IB 90/8	80	56	

Oxylobium. Andrews (Papilionacées). — Serre froide.
Bouturage au printemps, sur couche tiède et à l'étouffée. Marcottage.

Oxypetalum. R. Brown (Asclépiadacées). — Plein air en été.
Bouturage de jeunes pousses à chaud.

Ozothamnus. R. Brown (Composées). — Plein air.
Bouturage de pousses demi-aoûtées.

Pacanier. — Voir *Carya.*

Pachira. Aublet (Sterculiacées Bombacées). — Serre tempérée.
Bouturage de pousses au printemps en serre chaude. Bouturage de racines.

Pachyphytum. Link (Crassulacées). — Serre froide.
Bouturage de feuilles en serre froide (les feuilles plantées à l'envers pourrissent moins).

Pachysandra. Michaux (Euphorbiacées). — Plein air.
Bouturage de racines ou de rameaux sous verre. Division.

Pæonia. (Tournefort) Linné (Renonculacées) : PIVOINE. — Plein air.
Division des souches et séparation d'éclats en automne. Les *Pivoines* en arbre *P. Moutan* se propagent aussi par : boutures avec talon, greffe sur racines. Semis.

Paliurus. Tournefort ex-Miller (Rhamnacées) : ARGALOU, ÉPINE DU CHRIST. — Plein air, surtout dans le Midi.
Division des rejets au printemps, marcottage et bouturage de racines ou de rameaux sous verre. Semis.

Panax. Linné (Araliacées). — Serre tempérée et froide; plein air dans le Midi.
Bouturage comme pour les *Oreopanax.* Bouturage de racines possible.

Pancratium. Dillenius ex-Linné (Amaryllidacées). — Plein air.
Séparation des bulbes et caïeux en automne.

Pandanus. Rumphius ex-Linné (Pandanacées). — Serre chaude et tempérée.
Bouturage de rejetons sur fond chaud, à l'étouffée. Semis.

Panicum. Linné (Graminées). — Plein air et serres.
Séparation d'éclats au printemps.

Papaver. Tournefort ex-Linné (Papavéracées) : PAVOTS. — Plein air.
Pavots vivaces (P. A BRACTÉES, P. D'ORIENT, etc.). Division des souches à l'automne. Bouturage de racines sous verre, à la fin de l'hiver.

Papayer. — Voir *Carica.*

Paquerette. — Voir *Bellis.*

Parrotia. C.-A. Meyer (Hamamélidacées). — Plein air.
Marcottage. Bouturage difficile. Greffage sur *Hamamelis.*

[2] Juillet..........	H_2O/24	0
	IA 200/24	100 (8) 38

Parthenocissus. J.-E. Planchon (Vitacées). — Voir *Ampelopsis.*

Passerina. Linné (Thyméléacées). — Plein air et serre froide.
Espèces vivaces : multiplication des *Daphne* et *Erica.*

Passiflora. Linné (Passifloracées). — Serre froide et tempérée; plein air dans le Midi et dans l'Ouest.
Bouturage toute l'année avec bois demi-aoûté ou aoûté, en serre à multiplication tempérée sous verre. Marcottage.

PASSIFLORA RACEMOSA :

[2] Juillet..........	T	40	
	IB 50/24	90	56

Patate. — Voir *Ipomæa Batatas.*

Paullinia. Linné (Sapindacées). — Serre tempérée.
Bouturage de branches aoûtées en serre à multiplication tempérée, à l'étouffée

Paulownia. Siebold et Zuccarini (Scrofulariacées Chélonées). — Plein air.
Semis. Bouturage de racines, sur couche, en automne.

Pavetta. Linné (Rubiacées). — Serre chaude.
Bouturage de rameaux bien aoûtés, avec chaleur de fond, en automne.

Pavia. Bœrhaave ex-Miller (Hippocastanacées). — Plein air.
Semis. Greffage. Bouturage de rameaux en hiver (plein air).

Pavonia. Cavanilles (Malvacées). — Serre tempérée.
Bouturage au printemps à l'herbacé, en serre à multiplication tempérée.

Pavot. — Voir *Papaver.*

Pêcher. — Voir *Persica.*

Pelargonium. L'Héritier (Géraniacées). — Serre froide.
Bouturage de rameaux demi-herbacés en été, en plein air ou à la fin de l'hiver en serre ou sur couche.
Les pousses prélevées avec talon reprennent plus rapidement.
Les variétés rares peuvent être multipliées de boutures de feuilles portant un œil et un fragment de tige à la base (étouffer).

Pellonia. Gaudichaud (Urticacées). — Serre chaude et tempérée.
Bouturage très facile.

Pennisetum. Richer in Persoon (Graminées). — Plein air sous abri.
Division des touffes.

Pensée. — Voir *Viola.*

Pentas. Bentham (Rubiacées). — Serre tempérée.
Bouturage au printemps, à l'herbacé, à l'étouffé, en serre tempérée.

Pentstemon. Mitchell (Scrofulariacées). — Serre froide et plein air.
Bouturage à bois tendre, sur couche ou en serre à multiplication froide.

Peperomia. Ruiz et Pavon (Pipéracées). — Serre tempérée.
Bouturage de feuilles placées sous verre, en serre chaude.

Perce-Neige. — Voir *Galanthus.*

Pereskia. Plumier ex-Linné (Cactacées). — Serre tempérée.
Bouturage en serre tempérée, en godets, à la lumière.

Periplova. Tournefort ex-Linné (Asclépiadacées). — Plein air.
Bouturage ou marcottage en hiver. Séparation de drageons. Semis.

Peristrophe. Nees (Acanthacées). — Serre tempérée.
Bouturage en serre à multiplication tempérée.

Pernettya. Gaudichaud (Éricacées). — Plein air, terre de bruyère.
Bouturage sous verre. Marcottage en butte. Division. Semis.

Perovskia. Karel (Labiées). — Plein air sous abri.
Bouturage sous verre. Division. Semis.

Persea. Plumier ex-Linné (Lauracées) : Avocatier. — Serre tempérée; plein air sur la Côte d'Azur.

Marcottage en automne; ou boutures presque aoûtées, à chaud au printemps.

Persica. (Tournefort) Miller (Rosacées Amygdalées) : Pêcher. — Plein air.

Pêchers à fruits : greffage. Bouturage difficile (meilleure reprise du gros bois, avec hormones).

Pêchers d'ornement : bouturage de rameaux herbacés en serre tempérée ou de rameaux ligneux sur couche froide.

L'hybride Pêcher × Amandier : (porte-greffe) peut être marcotté.

Petasites. Tournefort ex-Linné (Composées Radiées). — Plein air.

Division des fortes touffes, ou séparation des rejets et stolons.

Petunia. Jussieu (Solanacées). — Serre froide.

Semis. Bouturage de pousses herbacées au printemps et en été (ne pas étouffer).

Peumus. Molina (Monimiacées) : Boldo. — Serre froide; plein air dans le Midi.

Bouturage possible.

Phænocoma. D. Don (Composées). — Serre tempérée.

Bouturage de jeunes pousses demi-aoûtées à la base, sur douce chaleur de fond.

Phalænopsis. Blume (Orchidacées). — Serre chaude.

Séparation de proliférations des tiges florales ou des racines.

Phalangium. (Tournefort) Adanson (Liliacées Anthéricées). — Plein air.

Division des souches courtement rhizomateuses.

Phalaris. Linné (Graminées) : Ruban de Berger. — Plein air.

Division des touffes en automne.

Pharus. P. Brown (Graminées). — Serre chaude.

Séparation de rejets bien enracinés.

Phasæolus. Tournefort Linné (Papilionacées) : Haricot. — Plein air en été.

Peut se bouturer.

Philadelphus. Linné (Saxifragacées Philadelphées) : Seringat. — Plein air.

Bouturage de rameaux ligneux en plein air, de rameaux herbacés ou ligneux sous verre. Marcottage. Division.

Philadelphus grandiflorus :

[2]	Juillet..........	T	70	
		IB 30-50/20	75	35

Philadelphus species « Norma » :

[2]	Juillet..........	T	0	
		IB 30/4	87	35

Philadelphus species « virginal »

[2]	Juillet..........	T	10	
		IB 80/8	42	35

Philadelphus « species »

[1]	Juin-juillet......	IB 10 000/T
		NA 1 000/T

Philesia. Commerson ex-Jussieu (Alstrœmeriales Philésiacées). — Serre froide.
Bouturage à froid avec bois aoûté, au printemps sous verre.

Phillyrea. Linné (Oléacées) : FILAIRE. — Plein air.
Bouturage sous verre. Greffage sur troéne. Marcottage. Semis.

	PHILLYREA « DECORA » :	
[1] Août-septembre..	IB 10 000/T NA 1 000/T	3/4 tourbe + 1/4 sable.

Philodendron. Schott (Aracées). — Serre tempérée et chaude.
Bouturage de tête ou de tronçons de tige avec feuilles.

Phlomis. Linné (Labiées). — Plein air.
Suivant les espèces : semis, bouturage sous verre, division.

Phlox. Linné (Polémoniacées). — Plein air.
Division de touffes en automne ou au printemps. Bouturage de tronçons de racines sur couche au printemps. Bouturage de rameaux herbacés sous verre, à froid.

Phœnix. Linné (Palmiers : DATTIER, etc.). — Serre tempérée ou froide; plein air dans le Midi.
Semis (pour multiplication horticole).
Éclatage des rejets pour multiplication de pieds femelles des variétés fruitières.

Phormium. Forster (Liliacées) : LIN DE LA NOUVELLE-ZÉLANDE. — Plein air.
Division des souches et des rejets au printemps.

Photinia. Lindley (Rosacées). — Plein air dans l'Ouest et le Midi.
Semis. Greffage. Bouturage de rameaux demi-aoûtés (reprise lente). Marcottage.

	PHOTINIA « GLABRA » :			
[2] Décembre.......	T	0		Bouturage de feuilles.
	IB 4 000/T	60	37	
[2] Juin............	T	5 (1)		
	IA 50/20	65 (2)		
	IB 50/20	100 (6)		
	PHOTINIA « SERRULATA » :			
[2] Décembre.......	T	0		
	IB 11 100/T	64	67	Bouturage de feuilles.

Phygelius. E. Meyer (Scrofulariacées). — Serre froide.
Bouturage à l'herbacé pendant toute l'année en serre à multiplication froide.

Phylica Ericoïdes. Linné (Rhamnacées Phylicées) : « BRUYÈRE DU CAP ». — Serre froide.
Bouturage à bois aoûté en juillet, dans les abris, en sable sous cloche ou au printemps, en serre à multiplication froide.

Phyllanthus. Linné (Euphorbiacées). — Serre chaude ou tempérée.
Bouturage à chaud des pousses bien aoûtées.

Phyllocactus. Link (Cactacées). — Serre froide ou tempérée.
Couper les articles nettement au point d'insertion.

Phyllocladus. L. C. Richer (Conifères). — Serre froide.
Bouturage facile par pousses aoûtées au printemps, légèrement à chaud.

Phyllostachys. Siebold et Zuccarini (Graminées). — Voir *Bambous*.

Physalis. Linné (Solanacées) : ALKÉKENGE, COQUERET ou CERISE EN CHEMISE. — Plein air.

Tronçonnement des tiges souterraines.

Physianthus. Martins. — Voir *Araujia.*

Physocarpus. Maximovics (Rosacées). — Plein air.

A traiter comme les espèces arbustives des *Spiræa.*

Physostegia. Bentham (Labiées). — Plein air.

Division des souches.

Phyteuma. Linné (Campanulacées). — Plein air.

Division des touffes au printemps.

Phytolacca. Tournefort ex-Linné (Phytolaccacées) : RAISIN D'AMÉRIQUE. — Plein air ou serre froide.

Espèces herbacées : Division des souches tubéreuses en automne.

Bouturage des espèces ligneuses non rustiques, possible.

Picea. Link (Conifères) : ÉPICÉA, SAPINETTE. — Rustique.

Semis. Greffage. Bouturage possible par rameaux demi-aoûtés. Difficulté d'enracinement très variable suivant espèces et variétés.

PICEA « PUNGENS » :

[2] Avril...........	$H_2O/24$	0		
	IA 100/24	80	84	
[2] Novembre......	$H_2O/24$	0	84	
	IA 100/24	43		
[3] Mars...........	IB 20 000/T			Bois dur. Tourbe et vermiculite par moitié, base des boutures incisées.

PICEA « SITCHENSIS » :

[2] Décembre-mars..	$H_2O/24$	0	49
	IA 25/24	100	
	IB 25/24	100	

Pied d'Alouette. — Voir *Delphinium.*

Pieris. D. Don (Éricacées). — Plein air.

Bouturage de pousses feuillées ou d'œil pourvu d'une feuille.

PIERIS « JAPONICA » :

[2] Juillet..........	T	80		
	IB 90/8	100	42	
[2] Novembre......	$H_2O/24$	28		
	IB 80/24	96		Sable + tourbe. Température de fond 20°.
	NA 2 000/T	48	70	

Pilea. Lingley (Urticacées). — Serre tempérée.

Bouturage facile, en tout temps, en serre à multiplication tempérée.

Pilocarpus Pennatifolius. Vahl (Rustacées) : JABORANDI.

[2] —	T	0
	IA 200/24	40

Pilocereus. Lemaire (Cactacées) : TÊTE DE VIEILLARD. — Serre tempérée.

Bouturage des *Cactées.*

Pimelea. Banks et Solander (Thyméléacées). — Serre froide.
Bouturage, dans le sable en automne, dans la serre à multiplication tempérée. Marcottage.

Pinckneya. Michaux (Rubiacées). — Plein air dans le Midi.
Marcottage. Bouturage sur couche tiède un peu ombrée.

Pinguicula. Tournefort ex-Linné (Lentibulariacées) : GRASSETTE. — Plein air ou serre chaude, tourbières.
Division de touffes. Bouturage de feuilles.

Pinus. (Tournefort) Linné (Conifères) : PIN. — Plein air.
Semis. Greffage. Bouturage possible, quoique toujours difficile les plantes produites sont de forme défectueuse).
Une incision annulaire préalable avec application d'auxine dans la lanoline facilite beaucoup la reprise.

PINUS « STROBUS » :

[2] Mars...........	T	0		
	IM 200/5	70	84	

Piper. Linné (Pipéracées) : POIVRIER. — Serre tempérée.
Bouturage facile au printemps, en serre à multiplication tempérée, par rameaux herbacés.

Pirus. (Tournefort) Linné (ou *Pyrus*) (Rosacées) : POIRIER. — Plein air.
Greffage sur franc (obtenu de semis ou porte-greffe d'East-Malling, obtenu par marcottage ou bouturage).

PIRUS « FRANC C_2 D'EAST-MALLING » :

[2] Juin............	H_2O/12	0		Pousses de la saison.
	NA 40/12	100	25	
[2] Juillet..........	T	0		
	IB 30/24	80	56	

Pistacia. Linné (Anacardiacées Térébinthées) : PISTACHIER. — Serre froide.
Semis. Bouturage de rameaux herbacés, en serre à multiplication tempérée.

Pistia. Linné (Aracées). — Serre chaude ou tempérée, aquatique.
Séparation de stolons.

Pisum. (Tournefort) Linné (Papilionacées) : POIS. — Plein air.
Semis. Bouturage facile (pour travaux de laboratoire).

Pitcairnia. L'Héritier (Broméliacées). — Serre tempérée.
Séparation des rejets.

Pittosporum. Bauhin (Pittosporacées). — Serre froide; plein air dans l'Ouest et le Midi.
Bouturage à l'automne, avec branches aoûtées, en serre à multiplication tempérée (difficile).

PITTOSPORUM « TOBIRA » :

[2] —	T	10	
	IB 50/24	60	53

Pivoine. — Voir *Pæonia.*

Platanus. (Tournefort) Linné (Platanacées) : PLATANE. — Plein air.
Bouturage en plein air de rameaux ligneux. Marcottage. Semis. Greffage.

Platycerium. Desvaux (Fougères). — Serre chaude ou tempérée.
Séparation des rejets.

Platycodon. A. de Candolle (Campanulacées). — Plein air.
Division des souches en automne.

Plectranthus. L'Héritier (Labiées). — Serre tempérée; plein air dans le Midi.
Bouturage comme les *Coléus.*

Pleroma. D. Don (Mélastomacées). — Serre tempérée.
Bouturage au printemps, avec bois demi-aoûté, en serre tempérée.

Plumbago. Tournefort ex-Linné (Plumbaginacées) : Dentelaire. — Serre tempérée ou plein air.

Bouturage du *Pl. capensis,* au printemps, en serre tempérée, sol léger et poreux. Le *P. Larpentæ* en serre froide est reproduit facilement par ses tiges souterraines tronçonnées.

Plumiera. Tournefort ex-Linné (Apocynacées) : Frangipanier. — Serre tempérée.
Bouturage en serre à multiplication tempérée.

Podachænium. Bentham (Composées Radiées). — Serre tempérée; plein air en été.
Bouturage à bois demi-aoûté, serre à multiplication tempérée.

Podocarpus. (L'Héritier) Persoon (Conifères Taxinées). — Serre froide; plein air dans l'Ouest et le Midi.

Semis. Greffage. Bouturage d'automne-printemps en serre à multiplication tempérée, en sol frais et léger.

Podocarpus « neriifolia » :

[2] Mars..........	T	25	
	IA 100-200/24	100	98

Podophyllum. Linné (Berbéridacées). — Plein air.
Séparation facile des rejets, et division.

Pogostemon. Desfontaines (Labiées) : Patchouli. — Serre tempérée.
Bouturage en toute saison, en serre tempérée.

Poinciana. Tournefort ex-Linné (Légumineuses Cæsalpinées) : Flamboyant. — Serres; plein air sous abri, pour certaines espèces, dans l'Ouest et le Midi.
Semis (bouturage difficile).

Poinsettia. R. Graham (Euphorbiacées). — Serre chaude.

Bouturage de pousses herbacées de mars-avril à août, en serre tempérée, dans le sable.

Poirier. — Voir *Pirus.*

Pois. — Voir *Pisum.*

Pois de senteur. — Voir *Lathyrus.*

Polemonium. Linné (Polémoniacées) : Valériane Grecque. — Plein air.
Division facile des touffes.

Polianthes. Linné (Liliacées) : Tubéreuse. — Plein air en été.
Séparation des caïeux après la floraison.

Poliothyrsis. Olivier (Bixacées). — Serre froide.
Bouturage facile.

Polygala. (Tournefort) Linné (Polygalacées). — Serre froide. Terre de bruyère.
Bouturage de rameaux aoûtés sous verre. Marcottage. Division. Semis.

Polygonatum. (Tournefort) Adanson (Liliacées) : SCEAU DE SALOMON. — Plein air.
Division de rhizomes en automne.

Polygonum. (Tournefort) Linné (Polygonacées) : RENOUÉE. — Plein air.
Division de touffes. Bouturage de rameaux ligneux. Marcottage de pousses ou greffage pour espèces ligneuses.

Polymnia. Linné (Composées). — Serre froide; plein air en été.
Bouturage de pousses herbacées prises sur des pieds mis en végétation en serre chaude.

Polypodium. Linné (Fougères). — Plein air ou serres.
Division des rhizomes au début du printemps.

Polystichum Aculeatum. Roth (Fougères. Polypodiacées). — Plein air.
Bouturage de feuilles, en serre, en automne.

Pomaderris. Labillardière (Rhamnacées). — Serre froide.
Bouturage sous verre, à froid de pousses demi-aoûtées, coupées sur une articulation et laissées quelque temps à sécher.

Pomme de terre. — Voir *Solanum tuberosum.*

Pommier. — Voir *Malus.*

Pontederia. Linné (Pontédériacées). — Serre tempérée; plein air l'été; aquatique.
Comme pour les *Eichhornia.* Jeter dans l'eau une tige latérale ou un rejet.

Populus. Linné (Salicacées) : PEUPLIER. — Plein air.
Bouturage facile ou difficile suivant les espèces et même les variétés.
Espèces de multiplication facile : bouturage d'hiver de rameaux ligneux Greffage. Bouturage de racines.

POPULUS « ALBA » :

[2] Avril.	$H_2O/30$	22	
	IA 50/30	92	
[2] Juillet.	$H_2O/24$	35	
	IA 50/24	100	

POPULUS « GRANDIDENTA » :

[2] Mars.	$H_2O/27$	5	56
	IB 10/27	67	

Porphyrocoma. Scheid. — Voir *Dianthera.*

Portulaca. Linné (Portulacacées) : POURPIER. — Plein air.
Semis. Bouturage possible.

Portulacaria. Jacquin (Portulacacées). — Serre froide.
Bouturage de jeunes pousses laissées un peu à sécher.

Posoqueria. Aublet (Rubiacées). — Serre tempérée.
Bouturage à chaud au printemps en serre à multiplication chaude.

Potamogeton. (Tournefort) Linné (Potamogétonacées).
Séparation d'hibernacles.

Potentilla. Linné (Rosacées). — Plein air.
Bouturage de rameaux ligneux en plein air. Division. Marcottage. Bouturage sous verre. Semis.

Pothos. Linné (Aracées). — Serre chaude.
A traiter comme *Monstera* et *Anthurium.*

Pratia. Gaudichaud (Campanulacées). — Plein air.
Division.

Primula. Linné (Primulacées) : PRIMEVÈRE. — Plein air ou serre froide selon les espèces.
Primevères des jardins : Division des touffes en août-septembre.
Primevères de serre : Semis.
Bouturage de feuilles avec bourgeon axillaire (les feuilles seules ne bourgeonnent pas).
Bouturage de tronçons de racines (?) pour espèces à racines charnues.

Prostanthera. Labillardière (Labiées Prostanthérées). — Serre froide.
Bouturage au printemps à l'herbacé, en serre à multiplication tempérée.

Protea. Linné (Protéacées). — Serre tempérée.
Marcottage (multiplication difficile).

Prunus. (Tournefort) Linné (Rosacées) : PRUNIER ET CERISIER.
En pratique, multiplication par semis des Cerisiers et Pruniers porte-greffe.
Le *Merisier* (*P.* ou *Cerasus Avium*) peut se bouturer facilement en plein air (sauf la var. *flore pleno*).
Le *Bois de Sainte-Lucie* (ou *Cerasus Mahaleb*) se marcotte aisément.
Le *Myrobolan blanc* et le *P. Mariana* se bouturent.
Les types d'*East Malling* de cerisier se multiplient par marcottage en butte.

PRUNUS CERASIFERA « MYROBOLAN B » :

[2] Juillet..........	T	0		Base de pousse feuillée.
	IA 100/7	100 (10)	44	
[2] Juillet..........	T	50		Tête de pousse feuillée.
	IA 100/7	75 (8)	44	

PRUNUS CERASIFERA « SAINT-JULIEN » :

[2] Mars...........	T	4	
	IA 50/40	64 (16)	126

PRUNUS LAUROCERASUS (LAURIER CERISE) :

Bouturage sous verre à froid à la fin de l'été ou en fin d'hiver avec légère chaleur de fond.

[2] Janvier.........	T	0	
	IB 40/6	80	34

PRUNUS LUSITANICA :

Marcottage en butte (bouturage difficile).

[1] Août...........	IB 5 000/T	2/3 tourbe + 1/3 sable, boutures incisées.
	NA 1 000/T	

PRUNUS TRILOBA :

Bouturage de pousses herbacées, au printemps ou en été, sous verre.

[2] Juillet..........	T	0	
	IB 22/20	56	
[3] Mai-juin........	IB 10 000/T		Boutures incisées, 2/3 tourbe + 1/3 sable.

Psamma. Palisot de Beauvois (Graminées) : OYAT, COURBET. — Plein air.
Division des rhizomes traçants.

Pseudolarix. Gordon (Conifères Abiétinées). — Plein air.
Semis. Bouturage et marcottage (difficiles).

Pseudotsuga. Carrière (Conifères) : SAPIN DE DOUGLAS. — Plein air.
Semis. Greffe. Bouturage non habituellement pratiqué.

PSEUDOTSUGA TAXIFOLIA :

[2] Décembre-mars..	$H_2O/24$	0		Jeunes pousses de 15 cm
	IB 50/24	80	161	de branches latérales

Psidium. Linné (Myrtacées) : GOYAVIER. — Serre chaude ou froide selon les espèces.
Bouturage, à chaud et sous verre, de jeunes pousses un peu aoûtées à la base.

Psychotria. Linné (Rubiacées). — Serre chaude.
Bouturage avec chaleur de fond, en hiver.

Ptelea. Linné (Rutacées Zanthoxylées) : ORME DE SAMARIE. — Plein air.
Marcottage. Semis. Greffage.

Pteris. Linné (Fougères). — Plein air et serres.
Semis de spores. Division de touffes.

Pterocarya. Kunth (Juglandacées). — Plein air.
Semis. Marcottage. Bouturage de rameaux sous verre (difficile) ou de racines.

[2] Juillet..........	$H_2O/24$	0	
	IA 20/24	33	70

Pueraria. De Candolle (Papilionacées). — Plein air.
Marcottage. Bouturage de pousses herbacées.

Pulmonaria. (Tournefort) Linné (Boraginacées) : PULMONAIRE. — Plein air.
Division des touffes en automne.

Pultenæa. Smith (Papilionacées). — Serre froide; plein air en été.
Bouturage au printemps ou en été, dans les abris.

Punica. (Tournefort) Linné (Granatées) : GRENADIER. — Orangerie; plein air dans l'Ouest et le Midi.

Bouturage avec bois dur l'hiver en serre tempérée (reprise lente) ou l'été, en serre froide, avec pousses demi-aoûtées. Semis, marcottage, greffage, séparation de drageons.

[2] Août...........	T	0	
	IB 2 000/5 s	100	20

Pyracantha. — Voir *Cratægus.*

Pyrethrum. Haller (Composées Radiées). — Plein air.
Division des touffes en juillet-août.

Pyrus. — Voir *Pirus* et *Cydonia.*

Quassia. Linné (Simarubacées). — Serre tempérée.
Bouturage à bois aoûté, en serre à multiplication tempérée.

Quercus. Linné (Fagacées) : CHÊNES. — Plein air.
Espèces à feuilles caduques : Semis, greffage.
Espèces rares à feuilles persistantes : Bouturage possible avec bois aoûté, en hiver, en serre froide (difficile).

	QUERCUS BOREALIS :	
[2] Février.........	H_2O/24	22
	IA 400/24	82
	QUERCUS PEDUNCULATA :	
[2] Juillet..........	H_2O/18-24	0
	IA 50/18-24	56

Quisqualis. Linné (Combretacées). — Serre chaude.
Bouturage à l'étouffée.

Raifort. — Voir *Cochlearia.*

Ramondia. Richer in Persoon (Gesnéracées Ramondiées). — Plein air, rocailles.
Séparation des rosettes au début du printemps.

Ranunculus. (Tournefort) Linné (Renonculacées) : RENONCULE, BOUTON D'OR. — Plein air.
Division en automne.

Raphiolepis. Lindley (Rosacées Pomacées). — Serre froide; plein air dans l'Ouest et le Midi .
Bouturage avec rameaux aoûtés au début ou à la fin de l'hiver en serre tempérée.

Raphistemma. Wallich (Asclépiadacées). — Serre chaude.
Bouturage facile.

Raquettes. — Voir *Opuntia.*

Ravenala. Adanson (Musacées) : ARBRE DU VOYAGEUR. — Serre chaude.
Séparation des rejets.

Rehmannia. Libosch ex-Fischer et Meyer (Gesnéracées Cyrtandrées). — Plein air sous abri.
Séparation de drageons ou bouturage.

Reseda. Tournefort ex-Linné (Résédacées). — Serre froide et plein air.
Semis. Bouturage possible en serre froide, à l'aide de branches demi-aoûtées en enlevant le bouton.

Retinospora. Siebold et Zuccarini (Conifères Cupressinées). — Plein air.
Comme le *Biota.*

Rhamnus. Tournefort ex-Linné (Rhamnacées) : NERPRUNS. — Plein air et serre froide.
Bouturage en hiver, avec du bois bien aoûté et sain, en serre à multiplication froide, ou en août à l'étouffée, sous cloche. Marcottage facile.

Rhapis. Linné (Palmiers). — Serre froide.
Séparation de rejets au printemps.

Rheum. Linné (Polygonacées) : RHUBARBE. — Plein air.
Division des grosses souches.

Rhipsalis. Gærtner (Cactacées). — Serre froide.

Bouturage très facile en serre tempérée, placer les articulations dans de petits pots, en terre franche additionnée de terreau et de sable, près du vitrage.

Rhodea. Endlicher (Liliacées). — Voir *Rohdea.*

Rhodochiton. Zuccarini (Scrofulariacées). — Serre tempérée.

Bouturage toute l'année à l'herbacé sous verre, en serre tempérée.

Rhododendron. Linné (Éricacées). — Plein air et serre froide.

Pour les Azalées, voir *Azalea.*

Multiplication courante par greffage sur sujets de semis (*R. ponticum*). Bouturage par rameau feuillé ou feuille avec œil axillaire pour certaines espèces (*Rh. catawbiense,* etc.). L'utilisation d'auxine permet une multiplication commode des diverses variétés de rhododendrons hybrides.

RHODODENDRON ARBORESCENS :

[2] Mai............	T	25		Bouture de feuilles avec crossette.
	IB 12 000/T	100	42	
[2] Juillet..........	T	0		
	IB 5 000/T	100	35	

RHODODENDRON MAXIMUM :

[2] Juillet..........	T	20		Bouture de feuilles avec œil axillaire.
	IB 90/24	100	105	

RHODODENDRON HYBRIDES (NOMBREUSES VARIÉTÉS) :

[1] Juin-juillet......	IB 20-40 000/T NA 2 000/T	Tourbes, boutures blessées.
[3] Juillet-novembre.	IB 8-20 000/T	1/10 tourbe + 1/10 sable, boutures demi-aoûtées incisées.

Rhodoleia. Champ. ex-Hooker (Hamamélidacées). — Serre tempérée.

Comme les *Magnolia* à feuilles persistantes.

Rhodora. Linné (Éricacées). — Plein air. Terre de bruyère.

Semis. Marcottage en butte.

Rhodotypos. Siebold et Zuccarini (Rosacées). — Plein air.

Division de touffes et boutures herbacées.

[2] Juillet..........	$H_2O/24$	0		
	IB 10/24	76	30	
[2] Juillet..........	T	0		Bouture de feuille avec œil.
	IB 22/20	33		

Rhopala. Aublet (Protéacées). — Serre tempérée et orangerie.

Bouturage en hiver sur chaleur de fond, en serre tempérée. Enracinement lent, soins très suivis (arrosage, étouffement, « ressui »).

Quelquefois un énorme bourrelet se forme sans produire de racines; il faut l'inciser et remettre en terre.

Rhubarbe. — Voir *Rheum.*

Rhus. Linné (Anacardiacées) : SUMAC, COPAL (*R. Cotinus* L.). — Plein air.

Séparation de drageons.

R. cotinus : Bouturage de racines.

Rhynchospernum. Reinw. (Apocynacées). — Serre froide.
Bouturage, très facile, au printemps, en serre à multiplication tempérée.

Ribes. Linné (Ribésiacées) : GROSEILLIERS. — Plein air.
Bouturage des Groseilliers et Cassis tout l'hiver, en igne, en pépinières, reprise facile. Marcottage chinois.

	RIBES RUBRUM :	
[2] Juillet..........	H_2O/24	30
	IB 100/24	95

Richardia. Kunth. — Voir *Zantedeschia.*

Rivina. Plumier ex-Linné (Phytolacacées). — Serre tempérée.
Semis. Bouturage en été, en serre à multiplication tempérée.

Robinia. Linné (Papilionacées) : ACACIA ROBINIER, FAUX ACACIA. — Plein air.
Semis. Greffage (bouturage possible).

]2] Janvier.........	T	1		Bois dur. Rameaux de 15 à 20 cm de long et de 12 à 18 mm de diamètre.
	IA 100/24	87		
	IB 100/24	71	24	
	NA 100/24	79		

Rochea. De Candolle (Crassulacées). — Serre froide.
Bouturage de rejets ou de feuilles en serre froide, terre franche.

Rodgersia. Asa Gray (Saxifragacées). — Plein air.
Division facile des rhizomes au début du printemps.

Rogiera. Planchon (Rubiacées). — Voir *Rondeletia* L.

Rohdea. Roth (Liliacées). — Plein air sous abri.
Semis. Division de touffes.

Ronce. — Voir *Rubus.*

Rondeletia. Linné (Rubiacées). — Serre tempérée.
Bouturage à chaud avec du bois demi-aoûté, en serre à multiplication tempérée en hiver et au printemps.

Rosa. Tournefort ex-Linné (Rosacées, Rosées) : ROSIER. — Plein air.
Semis pour porte-greffes et nouveautés. Écussonnage sur *R. canina* ou *R. polyantha.* Bouturage : facile pour les espèces à bois tendre (Thé, Hybrides de Thé, Hybrides de Noisette, Ile-Bourbon, Noisette, Bengales, Multiflores, Wichuriana), difficile pour les espèces ou races à bois dur (Provins, Cent-feuilles, Lutea, Pernetiana).

Boutures aoûtées : (Rameaux défleuris) coupées à 10 cm de longueur, repiquer sous verre en terre très sableuse, en été (surtout septembre). (Les boutures prises avec talon ou préparées par incision annulaire s'enracinent plus facilement). Abriter du froid pendant l'hiver, par des feuilles et au besoin des paillassons. Planter en carré en avril.

Le repiquage à l'envers, jusqu'à la formation du talon réduit les risques de pourriture.

Boutures herbacées : Prises sur plantes forcées ou en pleine végétation comme pour les plantes molles.

Boutures de racines pour moussus et Portland en automne.

Marcottage en butte (pour espèces de reprise difficile).

Rosa Banksiæ :

[2] Août..........	H_2O/24	87		
	IA 10/24	100	21	
	IB 10/24	100	21	

Rosa odorata (Thé) :

[2] Juin...........	T	89		
	IB 30-100/18	95	14	

Rosa polyantha « E. Poulsen » :

[2] Juin...........	H_2O/18	10 (1)		
	IA 50/18	75 (5)	17	Bouture dans le sable de rivière.

Rosa × Coryana :

[2] Juillet..........	H_2O/	0		
	IB 33/	100	24	

Rose d'Inde. — Voir *Tagetes erecta.*

Rose Trémière. — Voir *Althæa.*

Rosmarinus. (Tournefort) Linné (Labiées) : Romarin. — Plein air.
Bouturage en plein air dans un lieu ombragé en juin-juillet.

Rubus. (Tournefort) Linné (Rosacées) : Ronces, Framboisiers. — Plein air et serre froide suivant les espèces.
Séparation de drageons. Bouturage en été avec bois tendre, sous cloche, et par les tiges souterraines tronçonnées en hiver.
R. deliciosus : difficile à bouturer.

Rudbeckia. Linné (Composées Radiées). — Plein air.
Semis. Division des touffes. Boutures de racines à la fin de l'hiver.

Ruellia. Plumier ex-Linné (Acanthacées). — Serre tempérée.
Bouturage facile au printemps.

Rumex. Linné (Polygonacées) : Oseille (*R. Acetosa*) : Patience (*R. Patientia* L.). — Plein air.
Semis. Division de touffes (pour multiplication des pieds mâles).

Ruscus. (Tournefort) Linné (Liliacées Ruscacées) : Fragon, Petit-Houx. — Plein air.
Division des rhizomes en automne. Bouturage difficile.

Russellia. Jacquin (Scrofulariacées). — Serre tempérée; plein air en été.
Bouturage au printemps et pendant l'été, dans la serre à multiplication tempérée. Séparation d'éclats.

Ruta. (Tournefort) Linné (Rutacées) : Rue. — Plein air.
Séparation d'éclats. Boutures à froid au printemps.

Saccharum. Linné (Graminées) : CANNE A SUCRE. — Serre tempérée.
Couchage des cannes, puis bouturage des tigelles émises.

Safran. — Voir *Crocus*.

Sagina. Linné (Caryophyllacées). — Plein air.
Division de touffes.

Sagittaria. Ruppi in Linné (Alismatacées). — Plein air; aquatique.
Séparation des drageons tubérisés.

Saintpaulia. H. Wendland (Gesnéracées) : VIOLETTE DE L'USAMBARA. — Serre chaude.
Bouturage de feuilles par le pétiole. Semis.

Salix. (Tournefort) Linné (Salicacées) : SAULE, OSIER. — Plein air.
Bouturage facile en automne-hiver de rameaux aoûtés, en plein carré. Greffage pour variétés retombantes.

Salpichroa. Miers (Solanacées). — Plein air.
Division des touffes au printemps.

Salvia. (Tournefort) Linné (Labiées) : SAUGE. — Plein air ou serre froide selon les espèces.
Bouturage facile au printemps, en serre à multiplication tempérée, de pousses herbacées.

Salvinia. Michaux (Filicinées Rhizocarpacées). — Plein air ou sous abri; aquatique.
Séparation des stolons.

Sambucus. Tournefort ex-Linné (Caprifoliacées) : SUREAU. — Plein air.
Bouturage facile en lignes, en plein air, en pépinières avec bois aoûté à l'automne.
Division des souches (*S. Ebulus* L. : Yèble).

SAMBUCUS CANADENSIS :

[2] Novembre......	T	47 (5)		
	IA 1 000/T	81 (9)		Bois dur.
	NA 1 000/T	88 (11)	65	

Sanchezia. Ruiz et Pavon (Acanthacées). — Serre chaude.
Bouturage comme pour *Aphelandra*.

Sanguinaria. Linné (Papavéracées). — Plein air.
Multiplication facile par division des rhizomes.

Sansevieria. Thunberg (Liliacées). — Serre tempérée; appartements.
Pour le *S. Laurentii* : division de touffes seulement.
Pour les autres variétés : bouturage de tronçons de feuilles (reprise lente mais sûre) ou division de touffes au printemps.

Santolina. Tournefort ex-Linné (Composées Radiées). — Plein air, sous abri dans le Nord.
Bouturage facile en plein air, sous verre.

Sapin. — Voir *Abies*.

Saponaria. Linné (Caryophyllacées Silénées) : SAPONAIRE. — Plein air.
Division des touffes en automne pour les espèces vivaces.

Sapotillier. — Voir *Achras*.

Sarothamnus. Wimmer (Papilionacées) : GENÊT A BALAI. — Plein air.
Greffage. Bouturage possible.

Sarracenia. Linné (Sarraceniacées). — Serre froide.
Division des touffes avant le départ de la végétation.

Sassafras. Linné (Lauracées). — Plein air.
Séparation des rejets. Bouturage de racines.

Satureia. Linné (Labiées) : SARIETTE. — Plein air; condimentaire.
Multiplication d'éclats ou de boutures, en plein air dans un lieu ombragé, pour *S. Montana.*

Saururus. Plumier ex-Linné (Pipéracées). — Plein air.
Multiplication par ses drageons.

Saxegothæa. Lindley (Conifères). — Plein air dans l'Ouest et le Midi.
Bouturage facile.

Saxifraga. Tournefort ex-Linné (Saxifragacées). — Plein air, rocailles, ou serres selon les espèces.
Suivant les espèces : division des touffes, séparation des stolons, bouturage.

Scabiosa. (Tournefort) Linné (Dispsacées). — Plein air.
Les espèces vivaces, comme *S. caucasica* Curt, peuvent se multiplier par éclats.

Scævola. Linné (Goodéniacées). — Serre tempérée.
Bouturage en terre de bruyère, comme pour les *Epacris.*

Schinus. Linné (Anacardiacées) : FAUX-POIVRIER, MOLLE. — Plein air dans le Midi
Bouturage des rameaux assez lent; bouturage de racines.

Schizandra. Michaux (Magnoliacées). — Plein air sous abri.
Multiplication par rejets. Bouturage dans le sable et sous verre.

Schizophragma. Siebold et Zuccarini (Saxifragacées). — Plein air.
Multiplication difficile par boutures. Marcottage.

Schizostylis. Backhouse et Harvey (Iridacées). — Plein air sous abri.
Division de touffes en hiver.

Schotia. Jacquin (Légumineuses Caesalpiniées). — Serre tempérée.
Bouturage.

Schubertia. Martins (Asclépiadacées). — Serre chaude.
Bouturage avec bois aoûté, sur fond chaud.

Sciadophyllum. P. Brown (Araliacées). — Serre tempérée.
Bouturage au printemps, sur fond chaud.

Sciadopitys. Siebold et Zuccarini (Conifères). — Plein air, surtout dans l'Ouest.
Semis. Marcottage. Bouturage difficile.

[2] Janvier.........	T	0	
	IB 20/20	70	240
[2] Janvier.........	T	0	
	NA 100/2	92	140

Scilla. Linné (Liliacées Scillées). — Plein air.
Séparation des caïeux pendant la période de repos.
Bouturage de feuilles facile chez les espèces atlantiques (*S. Monophylla, odorata, verna*, etc.), difficile chez les espèces orientales (*S. bifolia, sibirica, amœna*, etc.).
Bouturage d'écailles.

Scindapsus. Schott. — Voir *Monstera.*

Scirpus. (Tournefort) Linné (Cypéracées). — Plein air; aquatique.
Division des souches, surtout pour les variétés panachées.

Scolopendrium. Smith (= *Phyllitis*) (Fougères). — Plein air.
Division des rhizomes, nécessaire dans le cas des variétés ondulées, cristées, palmées, etc.

Scopolia. Jacquin (Solanacées). — Plein air.
Facile, division des souches.

Scutellaria. Rivinus ex-Linné (Labiées Scutellariées). — Plein air ou serre tempérée.
Division des touffes. Bouturage facile de pousses herbacées, surtout au printemps.

Sechium. Swartz (Cucurbitacées) : Chayotte. — Plein air en été, ou dans le Midi.
Semis en janvier, février, en serre, puis bouturage des rameaux herbacés par tronçons de 15 à 25 cm.

Sedum. Tournefort ex-Linné (Crassulacées). — Plein air.
Bouturage facile de rameaux ou de feuilles. Division de touffes marins.

Selaginella. Palisot de Beauvois (Lycopodiacées). — Serre tempérée; plein air dans le Midi.
Bouturage sous verre.
S. denticulata : sectionnement des tiges radicantes.

Semele. Kunth (Liliacées Ruscacées). — Serre froide; plein air dans le Midi.
Comme pour les *Ruscus.*

Sempervivum. Ruppi in Linné (Crassulacées) : Joubarbes. — Plein air.
Bouturage de feuilles, séparation des rosettes.

Senecio. (Tournefort) Linné (Composées Radiées) : Sénecons. — Plein air et serres.
Suivant espèces et besoins : Semis. Bouturage sur couche tiède.

Sequoia. Endlicher (= *Wellingtonia* Lindley) (Conifères). — Plein air.
Semis. Greffe.
(Peuvent se bouturer en automne, sous verre, à froid; mais leur forme risque alors d'être irrégulière. Le *S. sempervirens* Endl. se multiplie aussi par rejets).

Sequoia sempervivens :

[2] Mars...........	T	0	
	IA 100/24	34	77

Sericographis. Nees (Acanthacées). — Serre tempérée.
Bouturage très facile en toute saison.

Seringat. — Voir *Philadelphus.*

Serissa. Commerson ex-Jussieu (Rubiacées). — Plein air dans le Midi.
Multiplication facile par boutures de racines ou de rameaux à chaud et sous verre.

Shepherdia. Nuttal (Éléagnacées). — Plein air.
Marcottage et bouturage de racines.

Sibthorpia. Linné (Scrofulariacées). — Serre froide et plein air.
Bouturage en toutes saisons, surtout au printemps, en serre tempérée.

Sida. Hooker. — Voir *Abutilon*.

Sidalcea. Asa Gray (Malvacées). — Plein air.
Division des souches.

Silene. Linné (Caryophyllacées Silénées). — Plein air.
Pour espèces vivaces et doubles : séparation d'éclats. Bouturage.

Silphium. Linné (Composées Radiées). — Plein air.
Division des souches en automne.

Sinningia. Nees (Gesnéracées). — Serre tempérée.
Bouturage à chaud, au printemps et en été.

Siphocampylus. J. E. Pollich (Lobéliacées). — Serre tempérée; plein air l'été.
Bouturage de pousses herbacées en serre tempérée, du printemps à l'automne. Division de touffes.

Sisyrinchium. Linné (Iridacées). — Plein air.
Multiplication facile par éclats.

Sium. (Tournefort) Linné (Ombellifères) : Berle, Chervis. — Plein air.
Semis, plantation de tronçons de racines, en place, en lignes distantes de 0,20 m en mars-avril, éclats des touffes dans les mêmes conditions.

Skimmia. Thunberg (Rutacées). — Plein air. Terre de bruyère.
Bouturage de pousses feuillées demi-aoûtées, sous verre.

Skimmia oblata :

[2] Octobre	T	100	(4)		Mélange tourbe et sable.
	IA 75/15	100	(5)	29	
[2] Octobre	T	16	(5)		
	IA 75/15	60	(5)	29	Sable de rivière.

Skimmia japonica :

[2] Novembre	H_2O/24	88	(3)		
	IB 40-60/24	100	(17)	48	Tourbe plus sable.
	NA 2 000/T	100	(5)		

Smilacina. Desfontaines (Liliacées). — Plein air.
Division des rhizomes en automne ou au printemps.

Smilax. (Tournefort) Linné (Liliacées Smilacinées) : Salsepareille. — Serre froide et tempérée; plein air dans le Midi.
Le bouturage se fait en hiver, en serre à multiplication tempérée.

Solandra. Swartz (Solanacées). — Serre tempérée; plein air sur la Côte d'Azur.
Bouturage facile au printemps.

Solanum. (Tournefort) Linné (Solanacées). — Serre froide et tempérée, ou plein air selon les espèces :

Solanum tuberosum (*Pomme de terre*) *:* Plantation de tubercules sélectionnés. Il est indiqué de laisser germer sur clayettes à la lumière ou de conserver les tubercules à basse température (3 ou 4 °C). Le trempage des tubercules fraîchement récoltés pendant un jour dans une solution de 25 cm³/l de monochlorhydrine du Glycol) permet de les remettre immédiatement en végétation.

Pour multiplier rapidement une nouvelle variété, il est possible de faire germer les tubercules sur couche tiède et de bouturer de même les germes prélevés avec talon.

Solanum Lycopersicum (*Tomate*) *:* Semis. Bouturage très facile.

Nombreuses espèces ornementales (*S. pseudocapsicum*, *S. jasminoïdes*, etc.). Semis. Bouturage au printemps de pousses herbacées en serre tempérée.

Soldanella. Linné (Primulacées). — Plein air.
Division des touffes.

Solidago. (Vaillant) Linné (Composées Radiées) : Verge d'Or. — Plein air.
Division des touffes en automne.

Sollya. Lindley (Pittosporacées). — Serre froide; plein air dans l'Ouest et le Midi.
Bouturage au printemps, en serre à multiplication tempérée, ou sous cloche.

Sonerila. Roxburgh (Mélastomacées). — Serre chaude.
Bouturage au printemps sur chaleur de fond et sous verre.

Sophora. Linné (Légumineuses). — Plein air.
Semis et greffage seulement.

Souchet. — Voir *Cyperus.*

Sparaxis. Ker-Gawler (Iridacées). — Plein air.
Séparation des cormus en automne, comme pour les *Ixia.*

Sparmannia. Linné (Tiliacées) : Tilleul d'Afrique. — Serre tempérée.
Bouturage au printemps, à demi-étouffé.

Spartium. Linné (Papilionacées) : Genêt d'Espagne. — Plein air.
Semis. Bouturage possible de jeunes pousses, sous cloche.

Sphæralcea. A. Saint-Hilaire (Malvacées). — Serre froide; plein air dans le Midi.
Bouturage sur couche chaude.

Sphærogyne. Naudin (Mélastomacées). — Serre chaude.
Bouturage en serre chaude sur fond chaud (espacer les boutures).

Sphærolobium. Smith (Papilionacées). — Serre froide.
Bouturage de pousses herbacées, dans le sable, à l'étouffée.

Spigella. Linné (Spigéliacées). — Serre froide et tempérée.
Bouturage au printemps, en serre à multiplication tempérée, pour le *S. splendens*, et froide pour le *S. marylandica.*

Spiræa. Linné (Rosacées Spirées) : Spirées. — Plein air.

Espèces herbacées (Reine des Prés (*S. Ulmaria* L.), Barbe de Bouc (*S. aruncus* L.), division de souches à l'automne, ou au printemps.

Espèces arbustives : Bouturage : 1° A bois dépourvu de feuilles à l'automne, sous cloche pour les espèces délicates, et en plein air pour les robustes; 2° A l'herbacé, au printemps, avec de jeunes pousses coupées sur les arbustes forcés, tels que

S. Van Houttei, prunifolia fl. p., Thunbergii, etc., en serre tempérée. Ce dernier mode de bouturage permet de faire beaucoup de plantes avec peu d'exemplaires.

Marcottage en butte pour certaines espèces très difficiles à bouturer, comme *S. sorbifolia* L., *S. arguta, S. trichocarpa*, etc.

Éclatage de touffes.

	Spiræa Bumalda		
[2] Juin............	T	55	
	IB 10/24	100	28

Sprekelia. Heister (Amaryllidacées) : Amaryllis, Croix de Saint-Jacques. — Plein air sous abri.

Séparation des caïeux en automne.

Sprengelia. Smith (Épacridacées). — Plein air sur la Côte d'Azur.

Comme pour les *Epacris* et *Erica.*

Stachys. Tournefort ex-Linné (Labiées) : Épiaire. — Plein air.

Espèces vivaces : peuvent se diviser en automne ou au printemps.

Crosne du Japon (*S. Tuberifera*), alimentaire, se multiplie par ses nombreux drageons et stolons tubérisés, comme le Topinambour.

Stachyurus. Siebold et Zuccarini (Célastracées). — Plein air.

Bouturage facile par pousses demi-aoûtées, à froid et sous verre.

Stapelia. Linné (Asclépiadacées). — Serre tempérée.

Bouturage facile de pousses latérales, mises en pots dans une serre tempérée près du vitrage, en terre de bruyère, additionnée de sable et d'un peu de terre franche.

Staphylea. Linné (Staphyléacées) : Faux Pistachier, Nez Coupé. — Plein air.

1° Bouturage de pousses herbacées, issues de plantes forcées en serre tempérée.

2° Bouturage de rameaux ligneux en automne en lignes, en pépinière.

Marcottage et division de touffes.

Statice. Tournefort ex-Linné (Plombaginacées). — Plein air.

Division des touffes en automne. Bouturage au début du printemps.

Stellaria. Linné (Caryophyllacées). — Plein air.

Division ou bouturage en automne.

Stenanthera. R. Brown (Épacridacées). — Plein air sur la Côte d'Azur.

Comme les *Epacris et Erica.*

Stenocarpus. R. Brown (Protéacées). — Serre froide.

Bouturage difficile. Marcottage (reprise lente).

Stenochilus. R. Brown (Myoporacées). — Plein air sur la Côte d'Azur.

Bouturage.

Stephanandra. Siebold et Zuccarini (Rosacées). — Plein air.

Comme les *Spiræa arbustives.*

Stephanotis. Du Petit-Thouars (Asclépiadacées Pergulariées). — Serre chaude ou tempérée; plein air, abrité dans le Midi.

Bouturage au printemps, en serre chaude sur fond chaud.

Sterculia. Linné (Sterculiacées). — Serre tempérée; plein air dans le Midi.

Bouturage en hiver, en serre à multiplication tempérée, sur chaleur de fond. généralement par boutures pourvues de toutes leurs feuilles.

Sternbergia. Waldstein et Kitailbel (Amaryllidacées) : AMARYLLIS JAUNE. — Plein air.
Multiplication par caïeux.

Stevia. Cavanilles (Composées Radiées). — Serre froide.
Bouturage au printemps, à bois tendre, en serre à multiplication tempérée.

Stewartia. Linné (Ternstroemiacées). — Plein air sous abri.
Semis. Bouturage difficile.

STEWARTIA PENTAGYNA :

[2] Juillet..........	H_2O/24	80 (2)		
	IA 50/24	100 (4)	81	Jeunes pousses.

Stifftia. Mikan (Composées). — Serre chaude.
Bouturage à chaud.

Stigmatophyllon. Meissner (Malpighiacées). — Serre chaude.
Bouturage de pousses aoûtées à chaud et à l'étouffée.

Stipa. Linné (Graminées). — Plein air.
Division des touffes.

Stokesia. L'Héritier (Composées). — Plein air.
Multiplication par éclats ou par boutures de tronçons de racines.

Stranvesia. Lindley (Rosacées). — Plein air.
Bouturage difficile. Semis et greffage sur *Aubépine.*

[2] Octobre	H_2O/17	10		
	IA 50/17	60	28	
[2] Août...........	H_2O/20	43		
	IA 100/7	100	161	Bases de pousses tendres.

Stratiotes. Linné (Hydrocharitacées). — Plein air; aquatique.
Multiplications par hibernacles.

Strelitzia. (Bauhin) Aitons (Musacées). — Serre tempérée; plein air en quelques points de la Côte d'Azur.
Division des souches au printemps. Semis.

Streptocarpus. Lindley (Gesnéracées). — Serre tempérée.
Division des touffes au printemps. Boutures de feuilles.

Strobilanthes. Blume (Acanthacées). — Serre tempérée; plein air en été.
Bouturage facile en toute saison en serre tempérée ou chaude. Retrancher les fleurs sur les plantes mères pour faciliter l'émission de jeunes pousses.

Strophanthus. De Candolle (Apocynacées). — Serre chaude.
Bouturage facile, à chaud et sous verre.

Stylidium. Swartz (Stylidiacées). — Serre froide.
Bouturage et éclatage de touffes.

Styphelia. Smith (Épacridacées). — Serre froide.
Bouturage, comme pour les *Epacris.*

Styrax. (Tournefort) Linné (Styracées) : ALIBOUFIER. — Serre froide; plein air dans le Midi.
Drageonnage. Marcottage (lent). Bouturage (difficile).

Sutherlandia. R. Brown. — Voir *Colutea.*

Swainsona. Salisbury (Papilionacées). — Serre froide.
Bouturage à l'herbacé au printemps, en serre à multiplication tempérée.

Swertia. Linné (Gentianacées). — Plein air; tourbières.
Division des touffes.

Symphoricarpos. Bœhmer (Caprifoliacées Lonicérées) : SYMPHORINE. — Plein air.
Division des souches en automne. Marcottage. Bouturage de rameaux aoûtés ou de tronçons de tiges souterraines.

Symphytum. Tournefort ex-Linné (Boraginacées) : CONSOUDE. — Plein air.
Division des souches en automne.

Symplocos. Jacquin (Styracées). — Serre tempérée; plein air dans le Midi.
Multiplication assez difficile. Bouturage de jeunes pousses à l'étouffée.

SYMPLOCOS PANICULATA :

[2] Juin...........	T	55	
	IB 50/24	92	

Syringa. Linné (Oléacées) : LILAS. — Plein air.
Greffage sur lilas ou sur troène. Séparation de rejets, marcottage. Bouturage de pousses herbacées sous verre.

SYRINGA EMODII :

[2] Avril...........	T	14	
	IB 40/24	75	35

SYRINGA JOSIKÆA :

[2] Mai...........	T	25	
	IB 40/24	75	35

SYRINGA PERSICA :

[2] Mai...........	T	0	
	IB 40/24	100	35

SYRINGA VULGARIS « PRÉSIDENT-POINCARÉ » :

[2] Mai...........	T	0	
	IB 12 000/T	100 (18)	25

SYRINGA VULGARIS « SIR DE LOUIS SPATH » :

[2] Juin...........	H_2O/18	30	
	IA 200/5	76	63
	NA 2 000/T	64	

SYRINGA VULGARIS « J.-CALLOT »

[2] Juin...........	T	10 (3)	
	IA 5 000/T	75 (5)	28
	Sel de K d'I.A. 20 000/T	90 (7)	

SYRINGA VULGARIS « MME FLORENT-STEPMAN » :

[2] Janvier.........	T	5	
	IA 5 000/T	95	24
	NA 2 000/T	80	
[2] Juin...........	H_2O/22	3	
	IA 10 000/T	75	43

SYRINGA VULGARIS (DIVERSES VARIÉTÉS) :

[3] Avril-mai.......	IB 10 000/T		Pousses herbacées.

Tabernæmontana. Plumier ex-Linné (Apocynacées). — Serre tempérée.
Bouturage en automne, en serre à multiplication tempérée, avec chaleur de fond.

Tacca. Forster (Taccacées). — Serre chaude.
Semis. Division des rejets nés autour du rhizome.

Tacsonia. Jussieu (Passifloracées). — Serre tempérée; plein air sur la Côte d'Azur.
Bouturage avec bois demi-aoûté, en hiver, en serre à multiplication tempérée.

Tagetes. Linné (Composées Radiées) : ŒILLET D'INDE (*T. patula* L.); ROSE D'INDE (*T. erecta* L.). — Plein air en été.
Peuvent se bouturer à titre de curiosité.

Tamarix. Linné (Tamariscinées). — Plein air.
Bouturage de rameaux ligneux en hiver.

Tanacetum. Tournefort ex-Linné (Composées) : TANAISIE. — Plein air.
Séparation des drageons.

Taraxacum. Linné (Composées Liguliflores) : PISSENLIT. — Plein air.
Semis. Facile bouturage des racines.

Taxodium. L. C. Richer (Conifères) : CYPRÈS CHAUVE. — Plein air.
Semis. Greffage. Bouturage dans l'eau de petits rameaux feuillés.

Taxus. (Tournefort) Linné (Conifères Taxinées) : IF. — Plein air.
Semis. Greffage. Bouturage de rameaux ligneux sous verre.

TAXUS BACCATA :

[2] Avril...........	H_2O/0,5	55 (3)		95 à 100 % d'hygrométrie, sable de rivière
	IA 1 000/0,5	100 (6)	60	
	NA 500/0,5	100 (14)		

TAXUS BACCATA « CUSPIDATA » :

[2] Septembre......	H_2O/15	20 (2)	
	IA 75/15	70 (3)	219

TAXUS BACCATA HIBERNICA « FASTIGIATA » :

[2] Mars...........	T	20 (2)	
	IB 100/16	92 (8)	84

TAXUS BACCATA « FASTIGIATA AUREA OU ARGENTA » :

[2] Avril	H_2O/1	15 (1)		95 à 100 % d'hygrométrie, sable de rivière.
	IA 500/1	65 (3)	62	
	NA 250/1	100 (8)		
[2] Décembre.......	T	100		
	IB 75/24	100	90	

TAXUS BACCATA (DIVERSES VARIÉTÉS) :

[3] Automne-hiver ..	IB 4 à 10 000/T	Bois dur. Boutures incisées. 1/4 tourbe + 3/4 sable.

TAXUS BACCATA (DIVERSES VARIÉTÉS) :

[1] Août-octobre....	NA 50/24 h	4/5 tourbe + 1/5 sable.
	IB 100/24 h	

Templetonia. R. Brown (Papilionacées). — Serre froide ou tempérée.
Bouturage de pousses herbacées sur couche chaude et sous verre.

Tecoma. Jussieu (Bignoniacées) : JASMIN DE VIRGINIE. — Serre froide et plein air.
Multiplication des *Bignonia*. Le *T. radicans*, se multiplie facilement de racines.

Tephrosia. Persoon (Papilionacées). — Serre tempérée ou froide.
Semis et bouturage.

Teucrium. (Tournefort) Linné (Labiées) : GERMANDRÉE. — Serre froide et plein air.
Bouturage avec bois aoûté en serre à multiplication tempérée.

Thalia. Linné (Marantacées). — Plein air en été, et dans le Midi et le Sud-Ouest; aquatique.
Séparation des drageons au printemps.

Thalictrum. Tournefort ex-Linné (Renonculacées) : PIGAMON. — Plein air.
Division des souches au printemps.

Thea. Linné (Ternstrœmiacées) : ARBRE A THÉ. — Serre tempérée, plein air dans l'Ouest et le Midi.
Semis. Bouturage en hiver ou au printemps, en serre à multiplication tempérée.

THEA JAPONICA :

[2] Décembre.......	T	44		Bouture de feuille avec
	IB 4 000/T	88	65	œil axillaire.
	IB 4 000/T	100	65	Bouture de pousse.
[2] Novembre......	H_2O/24	16 (2)		
	IB 80/24	100 (13)		
	NA 2 000/T	12 (2)		

Theobroma. Linné (Sterculiacées Buttnériées) : CACAOYER. — Serre tempérée.
Bouturage à bois dur, en hiver, sur chaleur de fond, en serre à multiplication tempérée.

[2] Avril...........	H_2O/6	0	
	IA 100/6	60 (2)	115
	NA 50/6	0	

Theophrasta. Linné (Myrsinacées Théophrastées). — Serre tempérée.
Boutures demi-aoûtées à chaud sous verre.

Thermopsis. R. Brown (Papilionacées). — Serre froide; plein air dans le Midi.
Bouturage à l'étouffée, ou par division.

Thibaudia. Ruiz et Pavon (Éricacées Vacciniées). — Serre froide.
Bouturage à l'étouffée en serre à multiplication tempérée avec bois aoûté.

Thladiantha. Bunge (Cucurbitacées). — Plein air.
Multiplication facile par division des tubercules.

Thuja. Linné (Conifères Cupressinées). — Plein air.
Bouturage de pousses demi-aoûtées, à froid, sous verre, en août, ou pendant l'automne et l'hiver en serre tempérée.
Semis. Greffage en serre.

THUJA OCCIDENTALIS « WAREANA » :

[2] Juillet..........	T	0	52
	IB 100/24	80	

THUJA OCCIDENTALIS « LUTEA » :

[2] Mai............ H/O/6-18 0
IA 100/6 20
NA 50/18 85

THUJA OCCIDENTALIS « WOODWARDII » :

[2] Novembre...... H_2O/24 0 62
IB 60/24 100

THUJA OCCIDENTALIS (VARIÉTÉS) :

[3] Hiver.......... IB 8 000/T Bois dur, incisionnable.

THUJA ORIENTALIS :

[2] Décembre....... T 37
IB 50/24 78

THUJA ORIENTALIS « AUREA ELEGANTISSIMA » :

[2] Septembre...... H_2O/1 50 (2) 123
NA 200/1 75 (3)

THUJA ORIENTALIS « AUREA NANA » :

[3] Juin............ IB 8 000/T Bois tendre, incisionsable, bouturage avec pulvérisation constante.

THUJA PLICATA :

[2] Janvier......... T 0 63
IB 79

THUJA PLICATA « ATROVIRENS » :

[2] Janvier......... H_2O/2 30 (4)
IA 1 000/I 100 (13)

Thunbergia. Retz (Acanthacées). — Serre tempérée et plein air en été, ou serre chaude.

Espèces vivaces : bouturage de branches aoûtées, en hiver, sur fond chaud, en serre à multiplication tempérée.

Espèces classées dans le genre Meyenia : bouturage au printemps avec branches demi-aoûtées en serre à multiplication tempérée.

THUNBERGIA GRANDIFLORA « ALBA » :

[2] — .... H_2O/24 0
IB 5 000/T 100 14 Bouture de feuille avec œil axillaire.

Thuya. — Voir *Thuja.*

Thuyopsis. Parlatore in De Candolle (Conifères Cupressinées). — Plein air.
Semis. Greffage. Marcottage. Bouturage.

[2] Novembre...... H_2O/24 36
IB 40-100/24 100 71

[2] Avril........... H_2O/4 100 (3)
NA 50/4 100 (4) 67

Thymelæa. Tournefort ex-Scopoli (Thyméléacées). — Plein air.
Comme les *Passerina.*

Thymus. Tournefort ex-Linné (Labiées) : FARIGOULE, THYM COMMUN. — Plein air.
Bouturage facile à froid sous cloche, avec bois dur, en juillet. Division des touffes en automne.

Thyrsacanthus. Nees (Acanthacées). — Serre tempérée.
Bouturage avec bois tendre, en toute saison, en serre à multiplication tempérée.

Tiarella. Linné (Saxifragacées). — Plein air.
Facile division des touffes.

Tidæa. — Voir *Tydæa.*

Tigridia. Ker-Gawler (Iridacées) : QUEUE DE PAON. — Plein air en été.
Comme des *Ferraria.*

Tilia. (Tournefort) Linné (Tiliacées) : TILLEULS. — Plein air.
Semis. Greffage. Marcottage en butte. Bouturage sous cloche (sujets obtenus moins vigoureux).

Tillandsia. Linné (Broméliacées). — Serre tempérée.
Séparation des rejets.

Tomate. — Voir *Solanum Lycopersicum.*

Topinambour. — Voir *Helianthus tuberosus.*

Torenia. Linné (Scrofulariacées). — Serre tempérée, plein air l'été.
Bouturage au printemps, de pousses tendres, à l'étouffée, en serre à multiplication tempérée; *T. asiatica* se bouture facilement de feuilles, qui se couvrent de proliférations vers la base.

Torreya. Arnott (Conifères Taxinées). — Plein air.
Semis. Bouturage comme pour les *Taxus.* Marcottage.

Trachelium. Tournefort ex-Linné (Campanulacées) : POILS DE LA REINE DE HONGRIE. — Serre froide.
Bouturage au printemps sur couche ou en serre à multiplication froide.
T. coeruleum (bisannuel) : Semis.

Trachelospermum. Lemaire (Apocynacées). — Serre froide.
Bouturage.

Tradescantia. Ruppi ex-Linné (Commélinacées) : ÉPHÉMÈRES. — Plein air et serre tempérée.
T. virginica. — Division de touffes.
Espèces de serre tempérée : bouturage très facile.

Trapa. Linné (Onagrariacées) : MACRE, CHATAIGNE D'EAU. — Plein air (surtout dans l'Ouest); aquatique.
Séparation des rejets.

Tremandra. R. Brown (*Platytheca*) (Trémandracées.) — Serre froide.
Bouturage avec bois aoûté au printemps, de bonne heure, en serre tempérée ou en été, en juillet, sous cloche, en sable.

Trevesia. Visiani (Araliacées). — Serre tempérée.
Boutures de tête.

Trevirania. Roth (Scrophulariacées).
Bulbilles.

Tricyrtis. Wallich (Liliacées). — Plein air sous abri.
Division des souches au printemps.

Trillium. Linné (Liliacées Trilliées). — Plein air.
Division des rhizomes.

Triphasia. Loureiro (Rutacées Aurantiées). — Serre chaude.
Bouturage à chaud sous verre.

Tristania. Robert Brown (Myrtacées Leptospermées). — Serre froide.
Bouturage à bois dur, hiver et printemps, en serre tempérée sous verre.

Triteleia. Douglas (Liliacées). — Plein air.
Séparation des bulbes en été ou automne.

Tritoma. Ker-Gawler (Liliacées). — Plein air avec abri.
Division des rejets ou œilletons en mai.

Tritonia. Ker-Gawler (Iridacées). — Plein air.
Division des rejets tubérisés pendant le repos.

Troène. — Voir *Ligustrum.*

Trollius. Linné (Renonculacées). — Plein air.
Séparation d'éclats en automne.

Tropæolum. Linné (Géraniacées Tropéolées) : Capucines. — Plein air et serre froide.
Semis. Bouturage des variétés stériles ou non fixées, en toute saison, de préférence en serre froide.

Tsuga. Carrière (Conifères). — Plein air.
Semis. Greffage. Bouturage difficile.

Tsuga canadensis :

[2]	Janvier.........	T	0		
		IB 50-100/22	79	63	

Tsuga canadensis « pendula » :

[2]	Décembre.......	H_2O/24	10		
		IA 50/24	63	56-77	

Tsuga heterophylla :

[2]	Septembre......	H_2O/18	18 (2)		Fortes pousses de 6 à
		IA 50/18	94 (6)	85	12 cm.

Tulipa. Linné (Liliacées Tulipées) : Tulipe. — Plein air.
Séparation des bulbes et caïeux en automne.

Tulipier. — Voir *Liriodendron.*

Tunica. Haller (Caryophyllacées). — Plein air.
Bouturage à l'herbacée des variétés doubles.

Tupa. G. Don (Lobéliacées). — Plein air avec abri ou serre tempérée.
Bouturage. Marcottage et séparation de drageons.

Turnera. Plumier ex-Linné (Turnéracées). — Serre chaude.
Bouturage. Division (espèces herbacées).

Tydæa. Decaisne (Gesnéracées). — Serre tempérée.
Bouturage de feuilles ou de tiges en été.

Typha. Linné (Typhacées) : Massette. — Plein air; aquatique.
Division de touffes.

Ulex. Linné (Papilionacées) : Ajonc. — Plein air.
Peuvent se bouturer.

Ulmus. Linné (Ulmacées) : Orme. — Plein air.
Semis. Exceptionnellement marcottage en buttage. Le bouturage de racines pourrait être pratiqué.

Ulmus americana :

[2] Juin............	T	23	
	IB 50/24	94	35

Ulmus pumila :

[2] —	T	0	
	IB 80/24	60	28

Ulmus (espèces diverses) :

[2] Juin............	T	0	
	IA 200/24	100 (9)	23

Umbellularia. Nuttal (Lauracées). — Plein air dans le Midi.
Bouturage difficile.

Uniola. Linné (Graminées). — Plein air.
Division facile.

Urginea. Steinhel (Liliacées Scillées). — Plein air sous abri.
Division des caïeux.

Uvularia. Linné (Liliacées Uvulariées). — Serre froide, ou plein air avec abri.
Division des souches en automne.

Vaccinium. Linné (Éricacées Vacciniées) : Airelles; Myrtille (*V. Myrtillus*). — Plein air.
Marcottage, assez difficile. Bouturage.

Vaccinium ashei :

[2] —	T	35		
	IB 1 000/T	60	50	Bois tendre.

Vaccinium corymbosum « Cabot » :

[2] Juillet..........	T	50		
	IB 50/20	100	40	Bois tendre.

Valeriana. Tournefort ex-Linné (Valérianacées). — Plein air.
Division des souches en automne.

Vallisneria. Michaux ex-Linné (Hydrocharidacées). — Plein air; aquatique.
Division des touffes.

Vallota. Herbert (Amaryllidacées). — Serre froide; plein air dans l'Ouest.
Comme les *Hippeastrum*.

Vanda. Jones (Orchidées). — Serre chaude.
Les tiges émettent des racines adventives et peuvent se bouturer.

Vanilla. Plumier ex-Miller (Orchidacées) : VANILLE. — Serre chaude.
Bouturage facile sous verre.

Veltheimia. Gleditsch (Liliacées Scillées). — Serre froide.
Séparation des bulbes en été.

Veratrum. (Tournefort) Linné (Liliacées Vératrées). — Plein air.
Division des souches en automne.

Verbascum. Tournefort ex-Linné (Verbacées) : MOLÈNE, BOUILLON BLANC, BOUILLON NOIR. — Plein air.
Division des touffes. Bouturage difficile chez *V. spinosum.*

Verbena. Linné (Verbénacées Verbénées) : VERVEINES. — Serre froide, l'hiver, plein air l'été.

V. hybrides : Semis sur couche au printemps. Bouturage sous verre, à froid, en été ou en serre tempérée, au printemps.

V. venosa (et diverses espèces vivaces) : Semis ou bouturage de rameaux en août. Hivernage sous verre à froid. Bouturage de racines.

Verveine. — Voir *Verbena.*

Verbesina. Linné (Composées). — Plein air en été.
Bouturage de pousses prises sur pied mère hiverné en serre.

Vernonia. Schreber (Composées). — Plein air.
Multiplication par éclats ou par boutures pour les espèces frutescentes.

Veronica. (Tournefort) Linné (Scrofulariacées Véronicées). — Plein air et serre froide.
Bouturage des espèces arbustives sous verre à froid. Division des touffes pour espèces herbacées.

Viburnum. Linné (Caprifoliacées) : VIRONE. — Plein air et serre froide.
Bouturage de rameaux aoûtés sous verre. Marcottage en butte (pour *V. plicatum stérilis, V. lantana, V. opulus, V. macrocephalum*).

VIBURNUM « CARLESII » :

[2] Juin...........	T	59	
	IB 20/18	100	49
[2] Juillet..........	T	32	
	IB 4 000/T	60	44
	NA 1 000/T	64	

VIBURNUM FRAGRANS :

[2] Novembre......	T	24	
	IA 67/20	88	22

VIBURNUM OPULUS :

[2] Juin...........	T	76	
	IB 10/6	100	21

VIBURNUM RHYTIDOPHYLLUM :

[2] Août...........	H_2O/24	0	
	IA 100/24	100	28

VIBURNUM TINUS :

[2] Octobre........	T	80 (5)	
	IA 50/8	100 (15)	26

Vicia. Tournefort ex-Linné (Papilionacées) : VESCE. — Plein air.
Division des grosses souches.

Villarsia. Ventenat (Gentianacées). — Plein air ou serre; aquatique.
Division des souches.

Vinca. Linné (Apocynacées) : PERVENCHE. — Plein air.
Facile, division des souches et des rejets.

Viola. (Tournefort) Linné (Violacées) : VIOLETTE (*V. odorata*). — PENSÉE (*V. tricolor*, etc.). — Plein air.
Semis. Bouturage en juillet sous cloche. Marcottage en butte. Séparation de stolons.

Vitex. Tournefort ex-Linné (Verbénacacées) : GATTILIER. — Plein air.
Semis. Bouturage dans le sable, sous verre, à chaud.

VITEX AGNUS CASTUS :

[2] Octobre	T	0		
	IA 50/ ?	100 (5)	41	Base pelée sur 1 cm.
	T	0		
	IA 50/ ?	70 (4)	41	Base intacte.

Vitis. (Tournefort) Linné (Ampélidacées) : VIGNE. — Plein air et serres.
Marcottage par couchage (en pleine terre, panier ou pot). Bouturage : 1° Par œil, en serre tempérée, en hiver; 2° De rameaux aoûtés, en automne-hiver, en plein carré; 3° De greffes-boutures sur sujets résistant au phylloxera et s'accommodant de diverses qualités de terrain. Greffage sur place, sur sujets obtenus de boutures.
L'utilisation des auxines : le trempage de brève durée avec doses plus fortes serait plus efficace que le trempage prolongé à faibles doses.

VITIS BERLANDIERI VI B :

[2] Mars...........	T	0	
	IA 150/44	90 (6)	52

VITIS VINIFERA « MUSCAT DE HAMBOURG »

[2] Mars...........	H_2O/48		
	IA 150/48	95 (10)	48

VITIS RUPESTRIS 1202 :

[2] Mars...........	H_2O/44	80	
	IA 150/44	100	52

[2] Sur divers hybrides, 2 000 à 3 000/T, résultats de 16 à 36 % meilleur que le témoin.

Vittadinia. Richer (*V. triloba*). — Voir *Erigeron mucronatus.*

Volkameria. Linné. — Voir *Clerodendron.*

Vriesea. Lindley (Broméliacées). — Serre tempérée.
Semis.

Wallichia. Roxburg (Palmiers). — Serre chaude.
Semis. Séparation de drageons.

Watsonia. Miller (Iridacées). — Plein air en été.
Division des bulbes solides en automne.

Weigelia. Thunberg. — Voir *Diervillea.*

Wellingtonia. Lindley. — Voir *Sequoia.*

Wigandia. Humboldt, Bonpland et Kunth (Hydrophyllacées). — Serre tempérée et plein air.
Bouturage de racines au printemps, ou de rameaux en serre à multiplication tempérée, ou sur couche. Semis.

Wistaria. Nuttall (Papilionacées) : GLYCINE. — Plein air.
Marcottage en serpenteau. Bouturage de racines sur couche froide ou de rameaux ligneux l'hiver.

		WISTARIA SINENSIS :			
[2]	Juillet..........	$H_2O/24$	44		
		IA 200/24	100	30	
[2]	Juillet..........	T	0		
		IA 100/12	100	28	
[3]	Juillet-septembre.	TB 8 000/T			Bois de l'année encore tendre, incisé.
		WISTARIA FLORIBUNDA :			
[2]	Juillet..........	T	80	60	
		IB 25/24	100		Pousses tendres.

Witsenia. Thunberg (Iridacées). — Serre froide.
Bouturage au printemps de racines coupées assez près des tiges. Marcottage ou division de touffes.

Woodwardia. Smith (Fougères). — Plein air et serre froide.
Séparation de prolifération naturelles pour *W. caudata* et radicans.

Xanthoceras. Bunge (Sapindacées). — Plein air.
Bouturage sous verre de rameaux ligneux ou herbacés ou de racines.

Xanthorhiza. Marshall von Biebenstein (Renonculacées). — Plein air.
Séparation de rejets.

Xanthosoma. Schott (Aracées). — Serre tempérée; plein air en été.
Division des tubercules, abrités l'hiver.

Yucca. Dillenius ex-Linné (Liliacées Dracœnées). — Plein air et serre froide.
Bouturage de tige couchée comme pour les *Dracoena,* en serre à multiplication tempérée (ou de tête de plante) (Ne pas étouffer). Séparation des rejets.

Zamia. Linné. (Cycadacées).
Division des grosses souches et des rejets.

Zantedeschia. Sprengel (= *Richardia*) (Aracées). — Serre tempérée; plein air dans le Midi.
Division des tubercules.

Zanthoxylum. Linné (Rutacées) : Clavalier. — Plein air.
Bouturage de pousses demi-aoûtées, au milieu de l'été, sous cloche ou châssis froid. Bouturage de racines en tronçons à chaud.

Zauscheneria. Presl (Onagrariacées). — Plein air.
Semis. Boutures de jeunes pousses prises en automne et hivernées sous châssis froid.

Zebrina. Schnitzlen (Commelinacées). — Serre tempérée; appartements.
Bouturage extrêmement facile en tout temps, à l'étouffé ou dans l'eau.

Zelkova. Spach (Ulmacées). — Orme de Sibérie. — Plein air.
Bouturage très difficile et inusité. Greffage sur *Orme*.

[2] Juillet..........	H_2O/24	0	
	IA 200/24	91 (10)	31

Zenobia. D. Don (Éricacées). — Plein air.
Comme les *Andromeda*.

Zephyranthes. Herbert (Amaryllidacées). — Plein air.
Séparation des bulbes relevés en automne.

Zieria. Smith (Rutacées Diosmées). — Serre froide.
Marcottage. Bouturage de pousses bien aoûtées en juillet, sous cloche, sous abri, dans un mélange de sable et de terre de bruyère.

Zingiber. Adanson (Scitaminées Zingibéracées) : Gingembre. — Serre chaude.
Division des touffes au printemps.

Ziziphus. Tournefort ex-Linné (Rhamnacées) : Jujubier. — Plein air dans le Midi.
Division des souches, bouturage de racines, ou de pousses bien aoûtées.

Zygophyllum. Linné (Zygophyllacées). — Plein air.
Bouturage sous verre au printemps.

off 9/91 UD

IMP. DE MONTLIGEON. — LA CHAPELLE-MONTLIGEON (ORNE). — JUILLET 1991
ÉDITION N° 9859. — DÉPÔT LÉGAL 3e TRIM. 1978. — IMPRIMEUR N° 15652